Cyfres Goresgyn Problemau Cyffredin

Cyfres Goresgyn Problemau Cyffredin

Goresgyn Problemau Cyffredin

Pan fo rhywun annwyl â dementia

Ail argraffiad

SUSAN ELLIOT-WRIGHT

GRAFFEG

Cyhoeddwyd gyntaf yng Nghymru yn 2019

Graffeg
adran o
Graffeg Limited
24 Canolfan Busnes Parc y Strade
Llanelli, SA14 8YP
www.graffeg.com

Cyhoeddwyd gyntaf ym Mhrydain yn 2010
Sheldon Press
36 Causton Street
Llundain SW1P 4ST
www.sheldonpress.co.uk

Mae'r awdur a'r cyhoeddwr wedi gwneud pob ymdrech i sicrhau bod y
gwefannau allanol a'r cyfeiriadau e-bost sy'n cael eu cynnwys yn y llyfr
hwn yn gywir ac yn gyfredol adeg mynd i'r wasg. Nid yw'r awdur a'r
cyhoeddwr yn gyfrifol am gynnwys, ansawdd na hygyrchedd parhaus y
gwefannau.

Data Catalogio wrth Gyhoeddi y Llyfrgell Brydeinig
Mae cofnod catalog ar gyfer y llyfr hwn ar gael gan y Llyfrgell Brydeinig

ISBN 9781912654888

Cysodwyd ac argraffwyd gan Graffeg

Cynnwys

Cydnabyddiaeth

Hoffwn ddiolch i bawb sydd wedi bod mor garedig yn rhannu eu profiadau o ddementia a'u straeon ynglŷn â sut mae'r afiechyd wedi cyffwrdd eu bywydau. Hoffwn ddiolch hefyd i Nicola yng nghangen Sheffield o'r Alzheimer's Society am ateb llu o gwestiynau, ac am roi cip gwerthfawr ar rai o'r problemau sy'n wynebu pobl â dementia a'u teuluoedd.

Cyflwyniad

Rydym ni'n defnyddio'r term 'clefyd Alzheimer' yn aml er mai'r hyn rydym ni'n ei olygu mewn gwirionedd yw dementia. Er ei bod hi'n wir fod dementia gan bobl â chlefyd Alzheimer, nid oes clefyd Alzheimer gan bawb sydd â dementia. Dirywiad graddol mewn sut mae rhannau penodol o'r ymennydd yn gweithredu yw dementia, yn cynnwys y cof, y meddwl a rhesymeg. Mae sawl cyflwr neu salwch yn gallu ei achosi. Clefyd Alzheimer yw'r un mwyaf cyffredin, a dyma achos dros hanner yr achosion o ddementia, yn ôl pob tebyg. Mae dementia fasgwlar a dementia cyrff Lewy yn gyfrifol am hyd at 20 y cant o achosion o ddementia yr un, a'r gweddill yn enghreifftiau llai cyffredin o ddementia. Mae dementia gan tua 6 y cant o bobl dros 65 oed ac mae'r cyflwr yn dod yn fwy cyffredin wrth heneiddio, gan effeithio ar un o bob tri neu bedwar o bobl dros 90 oed. Yr amcangyfrif yw bod dementia gan dros 850,000 o bobl yn y Deyrnas Unedig. Erbyn 2025, mae disgwyl i'r nifer godi i dros filiwn, ac erbyn 2050, i dros 2 filiwn, yn ôl adroddiad yn 2014 gan y Swyddfa Economeg Iechyd ar gyfer Alzheimer's Research UK. Mae Pennod 1 yn edrych ar achosion, symptomau a nodweddion y mathau mwyaf cyffredin.

Yn ôl yr Alzheimer's Society, mae tua 670,000 o bobl yn gofalu'n ddi-dâl am bobl â dementia yn y DU. Gall y gofalwr fod yn ŵr, yn wraig neu'n bartner, yn rhiant, yn frawd neu'n chwaer neu'n berthynas agos arall, neu gall fod yn ffrind neu'n gymydog. P'un a ydych chi'n 'ofalwr' ai peidio ar hyn o bryd, mae'n siŵr eich bod chi'n darllen y llyfr hwn am fod rhywun sy'n agos atoch chi wedi cael diagnosis o ddementia, neu am eich bod yn ofni ei fod ef neu hi yn datblygu'r cyflwr.

Bwriad y llyfr hwn yw eich helpu chi i ddeall sut mae dementia yn gallu effeithio ar rywun, sut gallai hyn effeithio arnoch chi ac ar weddill y teulu a sut mae cael gafael ar gymaint â phosibl o help ymarferol angenrheidiol.

Mae Pennod 2 yn edrych ar ddiagnosis dementia, yn cynnwys diystyru cyflyrau eraill a allai fod yn achosi'r symptomau. Mae'r bennod hon hefyd yn cynnwys cyngor ar gael cymorth meddygol hyd yn oed os yw'r un dan sylw'n mynnu nad oes dim byd yn bod. Mae Pennod 3 wedyn yn ystyried teimladau'r ddau ohonoch wrth gael diagnosis o ddementia, ac mae Pennod 4 yn mynd i'r afael â rhai o'r materion a allai fod o gonsýrn arbennig os mai eich priod neu eich partner sydd â dementia. Mae Pennod 5 yn cyfeirio at driniaethau cyffuriau a therapïau heb gyffuriau, ac yn edrych ar beth sy'n bosibl ei wneud i helpu pobl â dementia i gynnal eu sgiliau a'u galluoedd ac i symbylu'r cof mewn ffyrdd dymunol: er enghraifft, creu llyfr stori bywyd neu gasglu deunydd ar gyfer bocs atgofion.

Os ydych chi'n byw gyda rhywun â dementia a/neu'n gofalu amdano, bydd pob math o broblemau ymarferol ac emosiynol yn codi. Mae adrannau yn y llyfr sy'n trafod nifer o'r materion hyn, yn cynnwys cyngor ynglŷn â delio â cholli cof (Pennod 6) ac â phroblemau gwlychu a baeddu (Pennod 7), gwybodaeth am ddod o hyd i ffynonellau eraill o help a chefnogaeth, er enghraifft gwneud cais am fudd-daliadau a threfnu gofal seibiant (Pennod 8) a threfnu gofal preswyl (Pennod 9). Mae'r bennod olaf yn delio'n benodol â bod yn ofalwr, gan ystyried rhai o'r emosiynau a'r heriau sy'n rhaid eu hwynebu a ffyrdd i'w goresgyn. Mae hefyd yn cynnwys adran ar gyfnodau diweddarach dementia a theimladau ar ôl i anwyliaid farw.

Yn anffodus, mae stigma o hyd ynglŷn â chlefyd Alzheimer a mathau eraill o ddementia, felly nid yw'r pwnc yn cael ei drafod yn aml. Mae'r sefyllfa yma'n gwella'n raddol, yn enwedig yn sgil y sylw diweddar yn y cyfryngau i ambell wyneb cyfarwydd yn sôn am sut mae dementia wedi cyffwrdd â'u bywydau nhw. Efallai mai'r un mwyaf enwog o'r rhain oedd yr awdur Syr Terry Pratchett a fu farw ym mis Mawrth 2015. Roedd math anghyffredin iawn o ddementia gan Syr Terry, sef crebachu cortigol ôl (PCA: *Posterior Cortical Atrophy*), sy'n effeithio ar y gallu i weld, er enghraifft, drwy achosi anawsterau wrth adnabod pethau a'u lleoli, ac ar sgiliau fel sillafu, ysgrifennu a rhifyddeg.

Mewn ysgrif goffa yn y *Daily Express*, 15 Mawrth 2015, talodd Jeremy Hughes, prif weithredwr yr Alzheimer's Society, deyrnged i waith Syr Terry fel llysgennad dementia:

Daeth Terry Pratchett â dementia allan o'r cysgodion – mae rheidrwydd arnom er ei fwyn ef i ddod o hyd i feddyginiaeth i'w wella. Cyfeiriodd Syr Terry Pratchett at ei ddiagnosis ei hun o ddementia drwy ddweud: 'Os ydym am ladd y diafol, yn gyntaf mae'n rhaid i ni ddweud ei enw. Unwaith y byddwn wedi adnabod y diafol, heb gyfrinachedd na chywilydd, gallwn ddod o hyd i'w wendidau.'

Roedd Syr Terry yn un o noddwyr yr Alzheimer's Society, gan roi cyfraniad personol o filiwn o ddoleri a chefnogi ymgyrchoedd i gynyddu'r cyllid ar gyfer ymchwil a gwella ansawdd gofal dementia. Yn ei ymateb ysgrifenedig gwreiddiol i'w ddiagnosis, ysgrifennodd Syr Terry, 'I mi, roedd cael gwybod bod math o glefyd Alzheimer arnaf i yn sen, ac fe benderfynais wneud fy ngorau glas i gynnull pa bynnag luoedd a allwn i frwydro yn erbyn y clefyd enbyd hwn'. Gwnaeth ymddangosiadau di-rif ar y cyfryngau, cyflwynodd ddeiseb i 10 Stryd Downing a gwnaeth ffilm ar gyfer BBC2, *Terry Pratchett: Living with Alzheimer's*.

Ym mis Mawrth 2012, gosododd y Prif Weinidog her i gyflwyno gwelliannau sylweddol ym maes gofal ac ymchwil dementia erbyn 2015. Sefydlwyd tri grŵp hyrwyddo i ganolbwyntio ar y prif feysydd i'w gwella: ysgogi gwelliannau ym maes iechyd a gofal, creu cymunedau sy'n deall dementia a gwella ymchwil i ddementia.

Ers hynny, yn ôl y llywodraeth, mae cynnydd sylweddol wedi bod, gyda'r gallu i roi diagnosis yn gwella, dros filiwn o bobl wedi'u hyfforddi i fod yn 'ffrindiau dementia' i helpu i godi ymwybyddiaeth o'r cyflwr, a thros 400,000 o staff y Gwasanaeth Iechyd a 100,000 o staff gofal cymdeithasol wedi'u hyfforddi i gefnogi pobl â dementia yn well. Mae'r gwario ar ddementia wedi dyblu ac erbyn hyn mae rhaglenni ymchwil ac isadeiledd ar waith. I ychwanegu at y gwelliannau hyn, cyhoeddwyd papur polisi newydd ym mis Chwefror 2015: *The Prime Minister's Challenge on Dementia 2020*. Yn ei Ragair i'r papur, mae'r Prif Weinidog yn nodi'r amcanion sylfaenol hyn:

Erbyn 2020, dymunaf mai Lloegr fydd:

- y wlad orau yn y byd o ran gofal a chymorth i ddementia, ac o ran bod yn gartref i bobl â dementia, eu gofalwyr a'u teuluoedd;
- y lle gorau yn y byd o ran ymchwilio i ddementia a chlefydau niwroddirywiol eraill.

Mewn gwirionedd, dim ond pan fydd ein bywydau ni ein hunain yn cael eu heffeithio y byddwn ni'n tueddu i dalu sylw, fel arfer oherwydd bod gennym nifer o gwestiynau i'w gofyn. Fy ngobaith i yw y bydd y llyfr yma'n llwyddo i ateb rhai o'ch cwestiynau chi, yn datrys yn ymarferol rai o'r anawsterau a fydd yn codi, ac yn cynnig rhywfaint o gefnogaeth yn ystod cyfnod sy'n debygol o fod yn un anodd.

Rwy'n gobeithio hefyd y bydd yn eich helpu i allu teimlo'n gyfforddus wrth drafod dementia, nid dim ond â ffrindiau a theulu agos, ond hefyd â chyd-weithwyr, cymdogion a phwy bynnag arall y byddwch chi'n sgwrsio â nhw. Bydd sôn yn agored am y cyflwr yma sy'n rhy gyffredin o lawer yn help i godi ymwybyddiaeth, chwalu'r stigma a gwella ansawdd bywyd pawb sy'n byw yn ei gysgod.

Sylwch: Yn y gyfrol, rwy'n cyfeirio fel arfer at yr un sydd â dementia fel 'eich perthynas'; yn y rhan fwyaf o achosion bydd hyn yn gywir o ran yr un â dementia. Gobeithio na fyddwch chi'n teimlo bod y term hwn yn anaddas i chi, ond roeddwn am osgoi ailadrodd 'yr un sydd â dementia' oherwydd ei fod yn drwsgl, ond yn bennaf oherwydd ei fod yn pwysleisio'r salwch yn hytrach na'r unigolyn. Rwyf hefyd yn cyfeirio at y perthynas fel un gwrywaidd, gan mai dyma genedl yr enw, er y gallai'ch perthynas fod yn fenywaidd, wrth gwrs.

1

Beth yw dementia?

Dementia yw'r term sy'n disgrifio casgliad o symptomau sy'n cael eu hachosi gan afiechydon neu gyflyrau penodol yn dinistrio celloedd yr ymennydd. Achos mwyaf cyffredin dementia yw clefyd Alzheimer – mae clefyd Alzheimer gan dros hanner y bobl sydd â dementia. Yr ail achos mwyaf cyffredin yw dementia fasgwlar, sef tua 20 y cant o achosion. Mathau eraill cymharol gyffredin yw dementia cyrff Lewy a dementia llabed flaen (*frontal lobe*).

Clefyd cynyddol yw dementia, sy'n golygu y bydd yn gwaethygu gydag amser. Fel arfer, mae'n dechrau yn ystod henaint ond nid yw hyn yn golygu y bydd pawb yn ei gael wrth heneiddio. Wrth i ni heneiddio, mae ein cof, fel ein cyrff, yn gwanhau ac rydym ni'n tueddu i anghofio pethau'n haws na phan oeddem ni'n iau. Mae ychydig o anghofrwydd yn annifyr ond yn arferol, ond nid felly'r anghofrwydd eithafol sy'n nodwedd o ddementia ac sy'n effeithio ar fywydau. Gall fod yn ddigon anodd gwahaniaethu ar y dechrau, ond mae nifer o symptomau eraill sy'n gysylltiedig â dementia sy'n ei gwneud hi'n amlwg bod rhywbeth o'i le (trowch at dudalen 9). Er bod dementia'n fwy cyffredin mewn pobl hŷn, mae'n gallu dechrau'n gynharach. Yn 2013, roedd dementia cynnar (yn dechrau cyn 65 oed) gan 42,325 o bobl yn y DU, yn ôl yr Alzheimer's Society. Yn anaml iawn, gall ddechrau mewn pobl iau na 40 oed.

Clefyd Alzheimer

Y duedd wrth glywed y term 'dementia' yw meddwl am glefyd Alzheimer. Cafodd y clefyd ei enwi ar ôl y seiciatrydd a'r patholegydd Alois Alzheimer a ddisgrifiodd y clefyd gyntaf yn 1907, ar ôl sylwi bod dyddodion proteinau yn ymennydd rhywun â dementia.

Pan fydd eich perthynas yn cael diagnosis, efallai y byddwch yn cael gwybod bod 'dementia o fath Alzheimer' arno. Y rheswm dros hyn yw ei bod hi'n amhosibl rhoi diagnosis pendant o glefyd Alzheimer nes i feinwe'r ymennydd gael ei archwilio ar ôl i'r claf farw. Mae meddygon yn dal i fethu cadarnhau beth sy'n achosi clefyd Alzheimer, er eu bod nhw'n tybio bod geneteg yn ffactor mewn lleiafrif o achosion (rhagor am hyn ar dudalen 5). Serch hynny, caiff y symptomau eu hachosi gan newidiadau corfforol yn yr ymennydd sy'n ei rwystro rhag gweithio'n iawn – y dirywiad yn y gallu i gofio, dysgu, meddwl a rhesymu.

Pan fydd gwyddonwyr yn archwilio meinwe ymennydd rhywun â chlefyd Alzheimer o dan ficrosgop, maen nhw'n gallu gweld nifer o newidiadau. Mae'r rhain yn cynnwys:

- lympiau bach o'r enw placiau amyloid (*amyloid plaques*) sy'n tyfu yn y rhannau o'r ymennydd sy'n gyfrifol am reoli'r cof a meddyliau. Mae'r lympiau'n cynnwys protein a rhannau o gelloedd marw, a'r gred yw eu bod nhw'n gallu rhwystro trosglwyddo negeseuon rhwng celloedd yr ymennydd;
- sypynnau o edeugelloedd clymog (*tangled threads*), neu glymau niwroffibrilaidd (*neurofibrillary tangles*), sy'n ffurfio y tu mewn i gelloedd yr ymennydd ac sy'n rhwystro negeseuon rhag symud rhyngddyn nhw. Maen nhw hefyd yn gallu lladd celloedd;
- tyllau neu fylchau ym meinwe'r ymennydd lle mae celloedd wedi marw;
- diffyg niwrodrosglwyddyddion (*neurotransmitters*) (negeseuwyr cemegol sy'n symud rhwng celloedd yr ymennydd).

Mythau ynglŷn â chlefyd Alzheimer

Yn y rhan fwyaf o achosion, nid ydym yn gwybod pam mae rhywun yn datblygu clefyd Alzheimer ac mae'r diffyg gwybodaeth yma wedi arwain at nifer o fythau ynglŷn â'r clefyd. Ond rydym ni'n gwybod yn bendant nad yw'r canlynol yn achosi clefyd Alzheimer:

- defnyddio gormod neu ddim digon ar yr ymennydd;
- galar neu straen;
- y rhydwelïau (arteries) yn caledu;
- cysylltiad â rhywun sydd â'r cyflwr: nid yw clefyd Alzheimer yn heintus nac yn ymledol – nid yw hi'n bosibl ei 'ddal'.

Cafwyd ychydig o dystiolaeth yn cysylltu clefyd Alzheimer ag alwminiwm. Serch hynny, ers awgrymu'r cysylltiad am y tro cyntaf, mae ymchwil helaeth wedi methu dod o hyd i gysylltiad sy'n ei achosi.

Mae alwminiwm ym mhobman yn ein hamgylchedd ac rydym ni'n dod i gysylltiad ag ychydig bach ohono bob dydd. O ystyried nad yw'r rhan fwyaf o bobl oedrannus yn datblygu clefyd Alzheimer, mae'n annhebygol iawn fod cysylltiad rhwng y ddau beth.

Dementia fasgwlar

Niwed i'r pibellau gwaed yn yr ymennydd neu o'i gwmpas sy'n achosi dementia fasgwlar. Os bydd y pibellau gwaed yn cael eu rhwystro neu eu niweidio, bydd hyn yn effeithio ar lif y gwaed, sy'n gallu arwain at ddiffyg ocsigen i'r ymennydd. Yn ei dro, gall hyn achosi niwed i feinwe'r ymennydd neu ddinistrio rhai rhannau ohono. Cnawdnychiad (*infarct*) yw'r enw ar y rhannau o feinwe'r ymennydd sydd wedi marw oherwydd diffyg ocsigen. Weithiau, mae hwn yn ganlyniad strôc ysgafn. Gydag amser, gall sawl enghraifft o gnawdnychiad effeithio ar yr ymennydd, gan achosi dementia. Weithiau, mae hwn yn cael ei alw'n ddementia amlgnawdnychol (*multi-infarct*). Mae'n bosibl i glefyd Alzheimer a dementia fasgwlar ddigwydd gyda'i gilydd.

Dementia cyrff Lewy

Gyda'r cyflwr hwn, mae clystyrau bach o broteinau, o'r enw cyrff Lewy, yn ffurfio yn yr ymennydd gan effeithio ar sut mae'n gweithredu. Mae cyrff Lewy i'w gweld hefyd mewn pobl â chlefyd Parkinson ac mae rhai o symptomau clefyd Parkinson – cyhyrau stiff, llusgo'r traed wrth gerdded, colli mynegiant yn yr wyneb – i'w gweld weithiau mewn dementia cyrff Lewy. Yn ogystal â'r symptomau dementia arferol, fel problemau cofio a dryswch, gall pobl â dementia cyrff Lewy hefyd gael rhithweledigaethau ('gweld pethau') a phroblemau gyda chydbwysedd.

Dementia llabed flaen

Mewn dementia llabed flaen mae difrod yn digwydd yn rhannau blaen yr ymennydd, sef y rhannau hynny sy'n rheoli hwyliau ac ymddygiad. Hyd yn hyn, nid ydym yn gwybod pam mae hyn yn digwydd i rai pobl. Fel yn achos clefyd Alzheimer, mae'r math hwn o ddementia'n achosi dirywiad graddol mewn gweithredu meddyliol dros nifer o flynyddoedd. Serch hynny, mae'r symptomau ychydig yn wahanol oherwydd mae'r newidiadau mewn personoliaeth yn amlwg iawn, gan arwain weithiau at ymddygiad eithaf od. Efallai y bydd eich perthynas yn cael anhawster gydag iaith, ond ar y dechrau ddim ond ychydig anhawster gyda'r cof neu ddim o gwbl. Mae'r math hwn o ddementia'n tueddu i ddechrau'n gynharach na chlefyd Alzheimer, yn aml pan fydd pobl yn eu 40au a'u 50au.

Achosion eraill o ddementia

Mae clefydau mwy prin, fel syndrom Korsakoff, clefyd Binswanger, clefyd Creutzfeldt-Jacob (CJD), HIV ac AIDS, yn gallu achosi dementia. Hefyd, gall dementia fod yn fwy cyffredin mewn pobl â chlefyd niwronau motor, clefyd Huntington, clefyd Parkinson a sglerosis ymledol.

Pwy sydd mewn perygl?

Parhau mae'r ymchwil i'r rhesymau pam mae rhai pobl yn datblygu dementia ac eraill ddim. I ryw raddau, mae pawb 'mewn perygl' o ddatblygu rhyw fath o ddementia, ond mae gwyddonwyr wedi nodi nifer o ffactorau sy'n gallu cynyddu'r perygl hwnnw. Dylid cofio ei bod yn bosibl na fydd pobl sy'n ymddangos fel petaen nhw mewn perygl sylweddol o ddatblygu dementia byth yn gwneud hynny. Mae'n bosibl hefyd i'r cyflwr ddatblygu yn achos rhywun nad yw'n debygol o'i gael.

Ffactorau perygl

Oedran

Oedran yw'r ffactor perygl mwyaf sylweddol o lawer. Mae rhai pobl yn datblygu dementia'n eithaf ifanc, ond mae'r cyflwr yn gymharol brin ymysg pobl dan 65 oed. Wrth i ni heneiddio, mae'r perygl yn cynyddu. Yn ôl yr Alzheimer's Society, dim ond un mewn 1,000 o bobl rhwng 40 a 65 oed sydd â dementia. Mae hyn yn codi i un o bob 50 o bobl rhwng 65 a 70 oed, un o bob 20 rhwng 70 ac 80 oed ac un o bob 5 o'r rheini dros 80. Gall cyflyrau iechyd eraill neu fathau eraill o salwch sy'n gysylltiedig â heneiddio hefyd gynyddu'r perygl: er enghraifft, cyflyrau sy'n effeithio ar y galon neu ar bibellau gwaed (y system gardiofasgwlar) fel pwysedd gwaed uchel, clefyd y galon a strôc.

Rhyw

Mae clefyd Alzheimer ychydig yn fwy cyffredin ymysg merched, ond mae dementia fasgwlar fel petai'n effeithio ar fwy o ddynion nag o ferched. Awgrymwyd y gallai diffyg yn yr hormon oestrogen mewn merched ar ôl diwedd y mislif fod yn ffactor mewn datblygu clefyd Alzheimer. Serch hynny, dangosodd astudiaethau nad yw therapi amnewid hormonau (HRT: *hormone replacement therapy*) yn lleihau'r perygl o ddatblygu'r cyflwr, ac o ystyried y peryglon sy'n gysylltiedig ag HRT, nid yw hwn yn cael ei argymell fel mesur i atal clefyd Alzheimer. Mae pwysedd gwaed uchel a phroblemau'r galon yn ffactorau perygl yn achos dementia fasgwlar, ac o ystyried bod y cyflyrau yma'n fwy cyffredin ymysg dynion, gallai hyn egluro pam mae mwy o berygl i ddynion ddatblygu'r math hwn o ddementia na merched.

Hanes teuluol

Efallai eich bod yn pryderu y gallech chi ddatblygu'r cyflwr oherwydd bod dementia gan un o'ch rhieni, eich brodyr neu'ch chwiorydd. Mae'n wir fod rhywun sydd â rhiant, brawd, chwaer, mab neu ferch â dementia ychydig yn fwy tebygol o ddatblygu'r cyflwr ac mae'r perygl yn cynyddu eto os yw wedi effeithio ar fwy nag un aelod o'r teulu. Serch hynny, nid yw hi'n glir ai rhesymau genetig neu amgylcheddol sy'n gyfrifol am hyn. Wrth gwrs, mae ffactorau genetig (gweler isod) y tu hwnt i'n rheolaeth, yn wahanol i ffactorau amgylcheddol (trowch at dudalen 7) fel deiet, ymarfer corff a faint o alcohol rydym ni'n ei yfed. Felly, fe allech gymryd camau nawr i leihau eich perygl chi o ddatblygu dementia.

Geneteg

Genynnau yw'r rhannau o'r gell ddynol sy'n pennu'r nodweddion sy'n cael eu trosglwyddo rhwng y cenedlaethau o riant i blentyn – gwallt cyrliog, er enghraifft, neu allu cerddorol. Mae ymchwil yn awgrymu y gallai'r genynnau rydym ni'n eu hetifeddu gan ein rhieni fod yn rhannol gyfrifol am ddatblygu rhai mathau o anhwylderau neu beidio, yn cynnwys y rheini rydym ni'n gwybod eu bod yn achosi dementia. Serch hynny, mae bron 20,000 o enynnau yn y genom dynol ac er nad yw gwyddonwyr yn gwybod yn union faint o'r genynnau hyn sydd â rhan mewn datblygu dementia, fe allai fod dros 100. Felly, er bod ychydig mwy o berygl o ddatblygu dementia os oes gennych chi riant sydd â'r cyflwr, mae'n annhebygol y byddwch chi wedi etifeddu'r holl enynnau a fyddai'n eich gwneud chi'n dueddol o gael y clefyd. Yn y rhan fwyaf o achosion, mae gwyddonwyr yn credu bod cyfuniad o ffactorau genetig a ffordd o fyw yn achosi dementia. Felly, hyd yn oed os yw rhywun yn etifeddu'r holl enynnau a allai achosi dementia, nid yw hynny'n golygu y bydd yn datblygu'r cyflwr yn bendant.

Mae'n debyg bod cysylltiad genetig cryf gan un ffurf hynod brin o glefyd Alzheimer. Mae gwyddonwyr wedi darganfod tri genyn penodol, sef APP, PSEN-1 a PSEN-2, sy'n cael eu cysylltu â ffurf gynnar clefyd Alzheimer. Mae'r rhai sydd ag unrhyw un o'r genynnau prin hyn yn tueddu i ddatblygu clefyd Alzheimer yn ystod eu 30au a'u 40au a bydd ganddyn nhw fel arfer nifer o berthnasau â chlefyd Alzheimer. Nifer bach iawn o deuluoedd y byd sydd wedi eu heffeithio felly, a dim ond 1 neu 2 y cant o'r holl achosion o'r clefyd yw'r rhai sydd â'r math hwn o glefyd Alzheimer.

Hanes meddygol

Mae cyflyrau meddygol penodol yn gallu cynyddu'r perygl o ddatblygu dementia. Mae sawl astudiaeth wedi dangos cysylltiad rhwng gordewdra a chynnydd yn y perygl o gael dementia, gyda mwy a mwy o dystiolaeth fod yr hyn sy'n dda i'r galon yn dda i'r ymennydd. Serch hynny, heriodd un astudiaeth fawr yn 2015 y syniad yma, gan awgrymu y gallai bod dan bwysau arwain at fwy o berygl o gael dementia.

Yn gyffredinol, mae rhywun sydd â chyflwr sy'n effeithio ar y galon yn fwy tebygol o lawer o ddatblygu dementia, yn enwedig dementia fasgwlar. Mae strôc hefyd yn ffactor perygl mawr o safbwynt dementia, gan ddyblu'r perygl o ddementia mewn pobl hŷn. Ymysg y cyflyrau eraill mae trawiad ar y galon, rhythmau calon anghyson, pwysedd gwaed uchel, lefelau colesterol uchel a diabetes. Mae'r cyflyrau yma i gyd yn fwy tebygol ymysg pobl ordew neu dros eu pwysau.

Mae cysylltiad rhwng iselder a dementia hefyd, er bod hon yn berthynas gymhleth. Awgrymwyd bod iselder yn ffactor perygl ar gyfer dementia, yn ogystal â bod yn symptom cynnar o ddementia. Mae meddygon yn defnyddio nifer o ddangosyddion i wahaniaethu rhwng y cyflyrau – er enghraifft, mae iselder fel arfer yn digwydd yn gyflymach na dementia, heb unrhyw symptomau o golli cof am byth.

Mae cyflyrau meddygol eraill sy'n gallu cynyddu'r siawns o ddatblygu dementia yn cynnwys clefyd Parkinson, sglerosis ymledol, clefyd cronig yr arennau a HIV. Gall syndrom Down, rhai anawsterau dysgu eraill ac anafiadau cyson neu ddifrifol i'r pen hefyd gynyddu'r perygl o ddatblygu dementia.

Ffactorau amgylcheddol a ffordd o fyw

Credir bod ffactorau amgylcheddol a ffordd o fyw yn gallu chwarae rhan sylweddol o ran datblygiad dementia mewn rhai pobl. Mae'n wir hefyd fod ffordd iach o fyw, o safbwynt deiet ac ymarfer corff ac o ran ysgogi cymdeithasol a deallusol, fel petai'n gallu lleihau'r perygl.

Alcohol

Mae yfed llawer o alcohol dros gyfnod hir yn gallu cynyddu'r perygl o ddatblygu dementia. Gall yfed trwm achosi pwysedd gwaed uchel, sy'n gallu niweidio'r cyflenwad gwaed i'r ymennydd, gan ei amddifadu o ocsigen a maetholion hanfodol eraill. Hefyd, mae alcohol yn wenwyn sy'n achosi difrod uniongyrchol i feinwe'r ymennydd. Gall yfwyr trwm iawn ddatblygu syndrom Korsakoff (sy'n cael ei ddisgrifio weithiau fel 'syndrom alcoholaidd amnesig'). A dweud y gwir, nid gwir ddementia yw'r cyflwr yma, er y bydd y rhai sydd â'r syndrom yn cael problemau gyda'r cof tymor byr. Gall syndrom Korsakoff ddigwydd mewn cyflyrau heb gysylltiad ag alcohol pan mae yna ddiffyg maeth eithafol, ond mae hyn yn hynod o anghyffredin ym Mhrydain. Diffyg thiamin sy'n achosi'r cyflwr. Mae yfwyr trwm yn tueddu i fod â deiet gwael, sy'n isel mewn fitaminau a maetholion eraill. Hefyd, gall alcohol niweidio leinin y stumog, sy'n gallu effeithio ar allu'r corff i amsugno unrhyw faetholion y mae'n eu cael. Mae syndrom Korsakoff yn fwy cyffredin mewn dynion sydd â hanes o yfed alcohol yn drwm ac mae'n tueddu i ddatblygu rhwng 45 a 65 oed.

Mae rhai astudiaethau wedi dangos y gallai tipyn bach o alcohol – uned neu ddwy y dydd – helpu i amddiffyn yn erbyn dementia, mewn gwirionedd. Gall y math o alcohol hefyd fod yn berthnasol, gyda rhai astudiaethau'n awgrymu bod gwin yn well na mathau eraill o alcohol. Mae tystiolaeth sylweddol yn bod sy'n awgrymu y gallai tipyn bach o win coch, sy'n cynnwys gwrthocsidyddion, helpu i amddiffyn y galon a'r system fasgwlar. Rydym ni'n gwybod bod dementia'n fwy cyffredin ymysg pobl sydd â hanes o bwysedd gwaed uchel neu glefyd y galon, felly mae hyn yn gwneud synnwyr. Ond dylid ystyried ffactorau eraill sy'n ymwneud â ffordd o fyw: er enghraifft, efallai fod pobl sy'n yfed gwin yn llai tueddol o ysmygu ac yn fwy tebygol o fwyta'n iach, ond efallai fod pobl sy'n yfed cwrw neu wirodydd yn fwy tueddol o ysmygu ac yn llai tebygol o fwyta ffrwythau a llysiau ffres. Felly, mae'n anodd bod yn bendant ynglŷn â'r cysylltiadau, ond mae'r ymchwil i'r pwnc yn parhau.

Deiet

Erbyn hyn, rydym ni'n gwybod bod ein bwyd yn effeithio'n fawr ar ein hiechyd cyffredinol. Gall deiet sy'n uchel mewn braster dirlawn wneud i'r rhydwelïau gulhau, sy'n gallu arwain at drawiad ar y galon neu strôc a chynnydd yn y perygl o ddementia fasgwlar. Rydym ni hefyd yn gwybod bod deiet sy'n cynnwys llawer o ffrwythau a llysiau ffres yn gallu rhoi digon o fitaminau a gwrthocsidyddion, a allai helpu i amddiffyn yr ymennydd ac atal clefyd y galon a chlefydau'r system fasgwlar. Mae wedi dod i'r amlwg hefyd fod pysgod olewog, sy'n ffynhonnell dda o asidau brasterog amlannirlawn (*polyunsaturated*), yn gwneud lles i iechyd yr ymennydd a'r system gardiofasgwlar. Mae cysylltiad rhwng lefelau isel o fitamin D a chynnydd yn y perygl o ddatblygu dementia. Er nad yw meddygon yn barod i gadarnhau fod golau'r haul neu atchwanegion fitamin D yn lleihau eich perygl o ddatblygu dementia, mae cael ychydig o olau haul yn beth da – mae'r GIG (Gwasanaeth Iechyd Gwladol) yn awgrymu hyd at 15 munud y dydd. Mae ffynonellau da o fitamin D yn y deiet yn cynnwys wyau a physgod olewog.

Ysmygu

Eto, mae'n siŵr eich bod yn gwybod bod ysmygu'n ddrwg i chi! Mae ysmygu'n gwneud niwed i'r ysgyfaint, i'r galon ac i'r pibellau gwaed, yn cynnwys y rheini sydd yn yr ymennydd. Gall ysmygu arwain yn uniongyrchol at strôc, sydd, fel rydym ni wedi gweld eisoes, yn cynyddu'r perygl o ddatblygu dementia fasgwlar.

Ymarfer corff

Mae ymarfer corff yn hanfodol i iechyd cyffredinol, ond yn enwedig iechyd cardiofasgwlar. Mae ymarfer corff rheolaidd yn helpu i gadw'r system gardiofasgwlar yn iach, gan leihau'r perygl o bwysedd gwaed uchel, clefyd y galon a strôc – pob un ohonyn nhw'n ffactorau perygl o safbwynt dementia fasgwlar. Dangosodd un astudiaeth bwysig ym Mhrifysgol Caergrawnt yn 2014 y gallai dim ond awr o ymarfer corff yr wythnos leihau'r perygl o glefyd Alzheimer bron o'r hanner. Fe welodd astudiaeth dros 35 mlynedd gan Brifysgol Caerdydd yn 2013 mai ymarfer corff oedd y dylanwad unigol amlycaf ar lefelau dementia

– er bod pedwar ffactor arall sy'n ymwneud â ffordd o fyw yn dilyn yn agos iawn:

- peidio ag ysmygu
- pwysau corff isel
- deiet iach
- peidio ag yfed llawer o alcohol.

Beth yw'r symptomau?

Er bod gan y rhan fwyaf o bobl â dementia nifer o symptomau'n gyffredin, bydd profiad pawb o'r clefyd ychydig yn wahanol, ac ni fydd yr holl symptomau sy'n dilyn i'w gweld ym mhawb. Salwch cynyddol yw dementia a gall y symptomau fod yn annelwig ac yn anodd eu gweld yn y dyddiau cynnar, yn enwedig gan eu bod yn gyffredin i fathau eraill o salwch. Mae rhai symptomau – anghofio ambell beth, er enghraifft, neu duedd i ailadrodd pethau – yn normal ac yn gyffredin wrth i ni heneiddio. Gall symptomau cynnar gynnwys:

- problemau cofio – anghofio apwyntiadau, digwyddiadau diweddar a dyddiadau, fel penblwyddi neu ddyddiadau mae'ch perthynas fel arfer yn eu cofio;
- ailadrodd straeon a sgyrsiau;
- cyfnodau byr o ymddangos yn ddryslyd;
- gwadu problemau neu feio eraill;
- dod yn llai parod i addasu ac yn fwy cyndyn nag arfer i drio pethau newydd;
- gorymateb i broblemau bach.

Yn aml, mae'n anodd iawn nodi'n union pryd mae dementia'n dechrau, yn rhannol oherwydd y broses heneiddio normal ond hefyd oherwydd y duedd i drio bwrw ymlaen â bywyd fel petai dim byd yn bod, yn enwedig os yw'r person yn debygol o ofidio pan fydd perthnasau'n sôn am eu pryderon. Ond os ydych chi'n pryderu am rywun, dylech gael sgwrs â meddyg cyn gynted ag sy'n bosibl, i ddiystyru achosion posibl eraill y symptomau (trowch at dudalen 14) ac i drefnu profion. Wedyn, os mai dementia sydd ganddo, gallwch ddechrau meddwl am gynllunio'r driniaeth a rheoli'r cyflwr. Mae'r bennod nesaf yn edrych yn fwy manwl ar y broses o brofi am ddementia a rhoi diagnosis ohono.

2

Cael diagnosis o ddementia

Pryd ddylech chi ofyn am help? Fel yr ydym ni wedi sôn eisoes, gall dementia fod yn anodd iawn ei adnabod yn ystod y dyddiau cynnar, ond bydd adeg yn dod pan fydd ymddygiad eich perthynas yn eich gorfodi i ystyried dementia. Efallai y byddwch wedi sylwi ei fod yn anghofio ambell beth ac yn cael trafferth canolbwyntio, ond gall y rhain ddigwydd yn amlach a mynd yn fwy difrifol. Gall rhai arwyddion, er nad ydyn nhw'n dynodi dementia o raid, fod yn symptomau clefyd Alzheimer neu ddementia fasgwlar. Mae'r rhain yn cynnwys:

- colli pethau'n gyson, neu eu rhoi mewn mannau od – allwedd y car yn yr oergell, er enghraifft – ac yna anghofio'i fod wedi gwneud hynny, neu yn ei wadu;
- anawsterau gydag iaith – cael anhawster dod o hyd i'r geiriau cywir, neu ddefnyddio geiriau anaddas yn eu lle;
- drysu ynglŷn ag amser a lleoedd – methu adnabod lleoedd cyfarwydd, drysu ynglŷn â'r amser;
- dirywiad yn y gallu i asesu amgylchiadau a sefyllfaoedd penodol: er enghraifft, gwisgo dillad gaeaf ganol haf neu beidio â sylweddoli bod sefyllfa'n beryglus; er enghraifft, gadael papur newydd wrth ymyl tân nwy;
- anhawster wrth wneud tasgau cyfarwydd mae wedi'u gwneud droeon o'r blaen: er enghraifft, anghofio'r camau wrth baratoi pryd o fwyd;
- iselder ysbryd a hwyliau oriog, fel bod yn bigog neu'n anniddig, diffyg diddordeb a pheidio ag ymolchi'n iawn.

Mae'n bosibl bod eglurhad arall i'r symptomau yma, ac efallai nad oes angen gofidio'n ormodol os yw'ch perthynas yn gwneud rhywbeth ffôl weithiau – mae pawb wedi anghofio ble mae wedi parcio'r car neu wedi gadael yr allweddi yn nrws y tŷ o leiaf unwaith. Ac mae'n eithaf arferol clywed am rywun ifanc, iach sydd mor brysur yn trio gwneud cant a mil o bethau ar yr un pryd fel ei fod yn rhoi'r cig yn y bin sbwriel a'r pecyn yn y badell ffrio. Ond os yw'r pethau hyn yn dechrau digwydd yn gyson, neu os yw ymddygiad eich perthynas yn beryglus iddo yntau neu i rywun arall, dyma'r amser i chwilio am help.

Arwyddion dementia cyrff Lewy

Mae symptomau dementia cyrff Lewy yn gallu bod yn debyg iawn i symptomau clefyd Alzheimer, gan eu bod yn cynnwys problemau gyda cholli cof tymor byr, iselder ysbryd a hwyliau oriog, ac anawsterau wrth ganolbwyntio, rhesymu a datrys problemau. Serch hynny, mae symptomau eraill sy'n awgrymu dementia cyrff Lewy yn wahanol iawn. Maen nhw'n cynnwys:

- rhithiau gweledol – gweld pethau nad ydyn nhw yno, fel arfer pobl, anifeiliaid a phlant;
- rhithiau anweledol – clywed, arogli neu deimlo rhywbeth nad yw yno;
- symudiadau corfforol sy'n debyg i'r rheini a welir mewn clefyd Parkinson, yn cynnwys symudiadau herciog neu gryndod, cyhyrau stiff neu anystwyth;
- cwympo'n aml neu'n cerdded yn wahanol – fel arfer yn llusgo'r traed;
- amrywiadau trawiadol yn sut mae'r meddwl yn gweithredu. Gall hyn fod yn sefyllfa ddryslyd i deulu a ffrindiau. Fel arfer, gall rhywun â dementia cyrff Lewy gael cyfnodau o fod yn effro ac yn rhesymegol, am yn ail â chyfnodau o ddryswch a diffyg ymateb.

Cael diagnosis

Mae rhoi diagnosis o glefyd Alzheimer yn hynod anodd, a'r amcangyfrif yw bod dros 40 y cant o bobl sydd â'r cyflwr heb gael diagnosis. Mewn gwirionedd, dim ond ar ôl i rywun farw y mae'n bosibl cadarnhau bod y clefyd ganddo. Gall sawl peth achosi dementia, serch hynny, ac os yw rhywun yn dangos arwyddion, mae'n bwysig gofyn am gyngor meddygol ar unwaith. Ewch at y meddyg teulu yn gyntaf. Efallai'i fod yn adnabod y teulu'n dda ac fe allai hynny wneud i'ch perthynas deimlo'n gysurus wrth egluro'r anawsterau. Serch hynny, hyd yn oed os yw'r meddyg yn ffrind i'r teulu, gall rhywun sydd ag anawsterau gyda'r meddwl, yn enwedig o sylweddoli y gallai'r rheini fod yn symptomau dementia, deimlo'n lletchwith ac yn llawn cywilydd. Fe allai fod yn gyndyn o gyfaddef, hyd yn oed iddo'i hunan, fod problem ganddo.

Weithiau, bydd ffrindiau a pherthnasau, yn enwedig gwŷr a gwragedd, yn ei chael hi'n anodd wynebu'r syniad y gallai'r un y maen nhw'n ei garu fod yn datblygu dementia. O ganlyniad, gallen nhw fod yn cuddio'i ymddygiad chwithig neu ei gamgymeriadau drwy roi'r bai ar straen neu flinder. Mae parau sy'n cyd-fyw hefyd yn tueddu i gefnogi gwendidau a chryfderau ei gilydd hyd yn oed pan nad oes problemau iechyd. Felly, pan fydd y naill yn dechrau anghofio am apwyntiadau, mae'r llall yn debygol o wneud ymdrech ychwanegol, gan helpu i'w atgoffa, sy'n golygu nad yw'r problemau'n dod i'r amlwg am gyfnod hir.

Pwysigrwydd cael diagnosis

Mae rhai pobl yn credu nad oes pwrpas cael diagnosis os nad oes gwella ar gyflwr. Ond os yw rhywun yn dechrau dangos arwyddion o ddementia, mae'n bwysig gofyn am help am sawl rheswm. Yn gyntaf, er nad yw hi'n bosibl gwella'r cyflwr, mae'n bosibl ei reoli a gall hyn wneud bywyd yn haws i bawb. Salwch cynyddol yw dementia, felly bydd yn gwaethygu gydag amser a bydd gweithredu gwybyddol (*cognitive function*) yn dirywio. Mae diagnosis cynnar yn golygu y bydd rhywun sydd â'r cyflwr yn cael cyfle i fynegi barn wrth gynllunio ar gyfer y dyfodol. Efallai y bydd hi'n anodd i'ch perthynas ddod i delerau â'r syniad y bydd yn dod yn fwy a mwy dibynnol ar eraill gydag amser. Mae hwn yn beth anodd i'r holl deulu ei dderbyn ond ni fydd anwybyddu'r salwch yn gwneud iddo ddiflannu. O'i wynebu cyn gynted â phosibl, bydd gennych fwy o gyfle i ystyried y problemau amrywiol, ymchwilio i'r opsiynau a phenderfynu ynglŷn â'r dyfodol fel pâr neu fel teulu.

Yn ail, po gyntaf y cewch chi ddiagnosis, cyntaf y byddwch yn gallu cael gafael ar help ymarferol ac ariannol. Mae llawer iawn o gefnogaeth a chyngor ar gael i bobl â dementia a'u teuluoedd. Yn anffodus, gall fod yn anodd cael gafael ar ambell beth, yn enwedig heb ddiagnosis. Trowch at Bennod 8 am ragor o wybodaeth am y math o help a chefnogaeth sydd ar gael.

Yn drydydd, wrth i'r cyflwr waethygu, efallai y bydd ymddygiad eich perthynas yn fwy anwadal a gallai hyd yn oed ei beryglu ei hun, aelodau eraill o'r teulu neu ofalwyr. Os yw ymddygiad eich perthynas yn peryglu rhywun, gofynnwch am help ar unwaith.

Y cam cyntaf yw awgrymu'n garedig wrth eich perthynas y byddai'n well iddo gael sgwrs â'r meddyg teulu ynglŷn â'i anawsterau yn ddiweddar. Cynigiwch eich bod chi'n mynd gydag ef at y meddyg, naill ai i eistedd y tu allan ac aros amdano, neu i fynd i mewn gydag ef er mwyn gallu helpu i egluro beth sydd wedi bod yn digwydd, os yw'n credu y byddai hynny yn ei helpu.

Gwadu bodolaeth unrhyw broblem

Os yw'ch perthynas yn mynnu nad oes dim byd yn bod, trïwch gyfeirio at beth sy'n eich poeni chi. Gofynnwch a yw'n credu'n wirioneddol nad oes dim byd yn bod, neu ai poeni y gallai fod problem y mae ef neu hi ac yn ofni beth allai ddigwydd o ganlyniad i hynny. Gyda lwc, gallwch gynnig rhywfaint o sicrwydd, efallai drwy bwysleisio bod nifer o achosion posibl i egluro'r symptomau ac y gallai triniaeth syml ateb y broblem. Dylech hefyd bwysleisio, os mai dyma ddechrau dementia, gorau oll po gyntaf y gellir cael diagnosis i drin y cyflwr a lleihau'r symptomau (trowch at Bennod 5). Felly byddwch chi fel pâr neu fel teulu yn gallu dechrau cynllunio ar gyfer y dyfodol.

Mae'n werth dyfalbarhau pan fydd rhywun yn gwrthod mynd at y meddyg, oherwydd gallai ei hwyliau newid bob dydd ac mae'n bosibl y bydd yn fwy agored i'r syniad ar ryw adeg o'r dydd yn fwy na'r llall. Os ydych chi'n poeni am eich cymar, dewis arall yw awgrymu mynd gyda'ch gilydd at y meddyg teulu am archwiliad meddygol cyffredinol. Gallwch wedyn rybuddio'r meddyg teulu ynglŷn â'ch pryderon.

Os nad ydych chi'n gallu perswadio'ch perthynas i fynd i'r feddygfa, mae'n bosibl y gall eich meddyg teulu drefnu i alw yn eich cartref i asesu a yw dementia yn bosibilrwydd. Mewn rhai achosion, efallai y bydd yn well gan y meddyg teulu wneud hyn, oherwydd weithiau mae'n gallu bod yn haws asesu ymddygiad pobl yn eu cartref eu hunain. Os ydych chi'n credu bod eich perthynas yn mynd i wadu bod ganddo unrhyw broblem, efallai y byddai'n syniad trefnu apwyntiad gyda'r meddyg ar eich pen eich hun yn gyntaf. Trefnwch apwyntiad yn enw'ch perthynas er mwyn i'r meddyg gael ei nodiadau wrth law. Cyn cyrraedd, gwnewch nodyn o'r hyn rydych chi'n dymuno'i drafod, yn ogystal ag unrhyw gwestiwn yr hoffech ei ofyn. Eglurwch fod eich perthynas yn sensitif iawn ynglŷn â'r sefyllfa – efallai y bydd gan y meddyg gyngor ynglŷn â sut i drin yr holl beth yn ystyriol.

Beth fydd y meddyg teulu yn ei wneud?

Pan fydd y meddyg teulu wedi deall y rheswm dros eich gofid, y peth cyntaf y bydd yn ei wneud yw holi hanes llawn yr un dan sylw. Bydd felly'n awyddus i drafod â'r person ei hun yn ogystal â rhywun arall sy'n ei adnabod yn dda. Perthynas yw hwn fel arfer, ond os ydych chi'n ffrind agos ac yn gwybod mwy ynglŷn â'r hyn sydd wedi bod yn digwydd nag aelodau'r teulu sy'n byw ymhellach oddi wrtho, efallai mai chi yw'r un gorau i'w drafod â'r meddyg. Bydd y meddyg yn gofyn nifer o gwestiynau am y symptomau ac am ei hanes meddygol. Byddai'n syniad gwneud nodiadau cyn mynd i'r apwyntiad er mwyn i chi allu cynnig cymaint o wybodaeth â phosibl. Er enghraifft, byddai'n ddefnyddiol i'r meddyg wybod beth yn union yw'r symptomau, pryd ddechreuon nhw ac ai digwydd yn sydyn neu'n raddol dros gyfnod o fisoedd wnaeth y cyfan. Gallai fod yn help i'r meddyg wybod a oes ambell beth sy'n gwneud pethau'n waeth a beth yw ymateb arferol eich perthynas i'r symptomau: er enghraifft, a yw'r symptomau'n peri gwewyr meddwl? Dicter? Rhwystredigaeth? Neu a yw'r person yn mynnu nad oes dim byd yn bod?

Fel arfer bydd archwiliad corfforol llawn yn dilyn hyn. Bydd y meddyg hefyd yn argymell nifer o brofion gwaed i sicrhau bod popeth yn iawn o safbwynt yr arennau a'r afu neu'r iau, siwgr gwaed, lefelau hormon y chwarren thyroid, colesterol, fitamin B12 ac asid ffolig. Ar hyn o bryd, nid oes un prawf penodol sy'n gallu cadarnhau clefyd Alzheimer neu beidio, felly mae'r profion yn ystod y cyfnod hwn yn ymdrech i weld a oes unrhyw broblemau iechyd eraill ac i gynnig eglurhad posibl arall am y symptomau. Gall achosion eraill sy'n debyg i ddementia gynnwys:

- Salwch arall – mae sawl salwch a chyflwr arall yn gallu effeithio ar y cof a'r ymennydd yn gyffredinol. Mae'r rhain yn cynnwys haint ar y frest, problemau gyda'r chwarren thyroid, ac iselder (trowch at Bennod 5 am ragor o wybodaeth am iselder). Os oes cyflwr arall yn achosi'r problemau, dylai trin y cyflwr hwnnw eu gwella.
- Profedigaeth – gall newidiadau sydyn mewn bywyd, fel profedigaeth, sbarduno iselder dwys, sy'n gallu arwain at hunanesgeulustod yn ogystal â dryswch a phroblemau gyda'r cof a chanolbwyntio.
- Alcohol a chyffuriau – gall cyfuniad o alcohol a chyffuriau, hyd yn oed cyffuriau ar bresgripsiwn, achosi dryswch. Weithiau, gall hyd yn

oed dos uchel o rywbeth tebyg i dabledi cysgu fod yn gyfrifol. Trwy addasu'r dos, neu sicrhau nad yw'r person yn yfed alcohol tra mae'n cymryd y cyffur, mae modd lleihau'r symptomau.

- Anabledd corfforol – mewn rhai achosion, gall anabledd fel colli clyw neu nam ar y llygaid arwain at rywbeth tebyg i ddryswch ac anghofrwydd, yn bennaf oherwydd bod yr anableddau yma yn ei gwneud hi'n fwy anodd i'r person ddeall a delio â gwybodaeth newydd. Gall hyn arwain perthynas i gredu bod y person wedi anghofio rhywbeth sydd wedi digwydd neu wedi ei ddweud, er mai'r gwir yw ei fod heb weld neu glywed hynny.

Os yw'r meddyg yn amau bod dementia ar eich perthynas, neu ei fod yn datblygu'r cyflwr, gall drefnu apwyntiad i'r claf mewn clinig cof arbenigol i wneud asesiad mwy trylwyr i gadarnhau'r diagnosis.

Profion i gadarnhau cyflwr y meddwl

Mae nifer o ffyrdd i brofi sut mae'r meddwl yn gweithio sy'n gallu helpu i gael diagnosis o ddementia. Mae'n bosibl cael y rhain yn eich meddygfa leol, yn y cartref neu mewn clinig cof, naill ai gan feddyg neu nyrs arbenigol, fel arfer nyrs seiciatrig gymunedol. Yn yr atodiad ar ddiwedd y llyfr hwn mae rhestr o weithwyr proffesiynol gofal iechyd y gallech chi ddod i gysylltiad â nhw yn ystod y broses ddiagnosis a thriniaeth, a disgrifiad byr o waith pob un. Fel arfer, mae profion i ddarganfod sut mae'r meddwl yn gweithio yn cynnwys cyfres o gwestiynau sydd wedi'u cynllunio i ddangos anawsterau gyda phrosesau meddwl, cyfathrebu a'r cof. Gall y rhain gynnwys cwestiynau i gadarnhau'r canlynol:

- Synnwyr cyfeiriad o ran amser a lle – gall y meddyg ofyn pa ddiwrnod o'r wythnos yw hi, yn fras pa amser o'r dydd, pa fis a pha flwyddyn yw hi, pa dymor ac ym mha ardal mae'r person yn byw.
- Cwestiynau cofio – er enghraifft, gofyn am ailadrodd ymadrodd neu hyd yn oed gyfeiriad, wedyn, ymhen ychydig funudau, gofyn iddo ailadrodd y geiriau. Bydd y meddyg yn egluro ymlaen llaw y bydd yn gofyn yr un cwestiynau eto, er mwyn i'r person allu gwneud ymdrech ymwybodol i gofio.
- Canolbwyntio a chyfrif – gellir profi hyn drwy ofyn i'r person gyfrif yn ôl fesul saith o'r rhif 100 – 93, 86, 79, 72 ac yn y blaen. Fel arfer, bydd y meddyg yn dod â'r prawf i ben pan fydd y person wedi

cyrraedd 65 neu 58. Os yw eich perthynas wedi cael problemau â rhifau erioed, dywedwch hynny wrth y meddyg. Mae profion eraill y gellir eu defnyddio; er enghraifft, cyfrif yn ôl o 20 i 1, sillafu gair ar yn ôl neu adrodd misoedd y flwyddyn ar yn ôl.

- Sgiliau ieithyddol – gallai hyn gynnwys gofyn am enwi rhywbeth cyffredin, fel pensil neu sbectol; ysgrifennu brawddeg synhwyrol sy'n cynnwys goddrych a berf; a dilyn gorchymyn triphlyg syml, fel 'Cymerwch y darn hwn o bapur yn eich llaw dde, ei blygu yn ei hanner a'i roi ar y llawr'.

- Copïo – bydd gofyn copïo llun a allai fod yn siâp syml â thair neu bedair ochr, neu'n siâp mwy cymhleth, fel dau bentagon sy'n croestorri i greu pedrongl.

- Tynnu llun cloc – mae'r prawf yn gofyn am dynnu llun wyneb cloc, gosod y rhifau yn eu lle, ac wedyn gosod y bysedd i nodi amser penodol.

Fe all y meddyg neu'r nyrs wneud yr asesiad gan ddefnyddio'r Archwiliad Cyflwr Meddyliol Cryno (MMSE: *Mini Mental State Examination*), sy'n cynnwys nifer o brofion tebyg i'r rhai uchod. Mae'r MMSE yn boblogaidd oherwydd mae'n bosibl ei orffen mewn deng munud. Bydd yr aseswr yn gofyn cwestiynau i brofi synnwyr cyfeiriad, canolbwyntio, iaith ac adalw gwybodaeth, ac yn rhoi sgôr i'r atebion. Bydd yn defnyddio'r cyfanswm i ddynodi lefel y nam gwybyddol.

Unwaith y bydd diagnosis o ddementia wedi'i roi, y cam nesaf fydd ceisio dod o hyd i'r achos. Clefyd Alzheimer neu ddementia fasgwlar yw'r achosion mwyaf cyffredin o ddementia. Mae achosion eraill, fel dementia cyrff Lewy, blaenarleisiol neu fathau eraill o ddementia yn llai cyffredin. Gall achos tebygol y dementia effeithio ar sut bydd y cyflwr yn datblygu a sut y dylai gael ei drin a'i reoli.

3

Ar ôl diagnosis

Gall diagnosis o glefyd Alzheimer neu ddementia arall fod yn ergyd drom, hyd yn oed o'i ddisgwyl. Mae'n amlwg ei bod yn anodd iawn dygymod â sylweddoli bod aelod o'r teulu neu ffrind â'r cyflwr ac y bydd yn gwaethygu yn hytrach nag yn gwella. Ond mae hyn yn golygu hefyd y bydd y wybodaeth angenrheidiol gennych bellach i ddechrau cynllunio ar gyfer y dyfodol. Mae'n bwysig sicrhau bod eich perthynas yn dal i allu byw'n annibynnol a mwynhau ei weithgareddau arferol cyhyd â phosibl. Ond mae'n bwysig hefyd sicrhau nad ydych yn anghofio'r cynlluniau a'r trefniadau gofal ar gyfer y dyfodol ddim ond oherwydd bod y symptomau dan reolaeth ar y pryd. Mae delio â'r problemau nawr yn golygu bod eich perthynas yn gallu ystyried yr opsiynau a phenderfynu ynglŷn â'r dyfodol tra mae'n ddigon abl yn feddyliol i wneud hynny. Trwy gynllunio'n gynnar fel hyn, mae cyfle i ymchwilio i'r opsiynau gorau a gwneud yn hollol siŵr fod pawb yn ymwybodol o ddymuniadau'r un sydd â'r cyflwr.

Dyma rai o'r pethau y gallech eu hystyried:

- Pa help allanol sydd ar gael?
- Pa gostau fydd angen eu talu a pha fudd-daliadau fydd ar gael?
- Pwy fydd yn gyfrifol am ei faterion ariannol a chyfreithiol pan fydd yn methu gwneud hynny?
- Pwy fydd yn gyfrifol am ei helpu gyda bywyd pob dydd pan fydd pethau'n dechrau mynd yn anodd?
- Pa gefnogaeth fydd ar gael i'r un a fydd yn bennaf gyfrifol am y gofal dyddiol?

Efallai y bydd eich perthynas yn gyndyn o drafod y problemau hyn nawr, gan ddweud rhywbeth fel 'awn ni ddim o flaen gofid'. Trïwch fynnu'n dawel na fydd cynllunio fel hyn yn golygu y bydd y dementia'n gwaethygu'n gyflymach, ond y gallai anwybyddu problemau posibl achosi nifer o broblemau a llawer o ofid yn ddiweddarach.

Materion ariannol a chyfreithiol

Anogwch eich perthynas i roi trefn ar ei faterion ariannol a chyfreithiol cyn gynted â phosibl. Efallai y bydd angen help arno i wneud hyn. Bydd osgoi gwneud hyn yn golygu y bydd y dasg yn mynd yn fwy anodd i'ch perthynas, gan olygu y byddwch chi neu aelodau eraill o'r teulu yn gorfod penderfynu drosto. O ddelio â'r cyfan nawr, bydd pawb yn gwybod am ei ddymuniadau. Os hoffech chi gael cyngor ar faterion ariannol a chyfreithiol, mae'n werth cysylltu â'r ganolfan Cyngor Ar Bopeth (gweler Cyfeiriadau defnyddiol). Mae'n bosibl y cewch chi help i ddatrys y broblem yma, neu eich cyfeirio at ffynonellau eraill a all eich helpu; y naill ffordd neu'r llall, dyma fan da i ddechrau. Mae gan ambell ganolfan CAB ei chyfreithiwr ei hun, ond os oes angen i chi gael eich cyfreithiwr eich hun, siaradwch â'r Alzheimer's Society a fydd yn gallu rhoi manylion cwmnïau cyfreithiol sy'n arbenigo mewn delio â materion cyfreithiol sy'n gysylltiedig â dementia.

Dyma rai materion y dylid eu hystyried:

Atwrneiaeth arhosol

Proses gyfreithiol yw atwrneiaeth arhosol (LPA: *Lasting Power of Attorney*) sy'n caniatáu i unigolyn awdurdodi rhywun i benderfynu ar ei ran. Mae hyn yn golygu bod y twrnai'n gallu penderfynu ynglŷn â materion sy'n ymwneud ag arian ac eiddo, ac ynglŷn â gofal iechyd a lles personol. Trwy drefnu LPA, gall eich perthynas ddewis rhywun y mae'n ymddiried ynddo i reoli ei faterion, gan egluro'i ddymuniadau i hwnnw tra mae'r gallu meddyliol ganddo i wneud hynny. Gall eich perthynas ddewis trosglwyddo'r cyfrifoldeb am ei faterion ariannol unrhyw bryd, ond dim ond pan mae'n analluog yn feddyliol y mae'n bosibl defnyddio LPA sy'n ymwneud â lles personol. Mae'n werth trafod hyn â chyfreithiwr. I wneud atwrneiaeth arhosol, ei chofrestru neu ddod â hi i ben, ewch i https://www.gov.uk/government/publications/make-a-lasting-power-of-attorney.cy.

Budd-daliadau

Mae nifer o fudd-daliadau y dylai pobl â dementia a'u gofalwyr eu hawlio. Yn anffodus, nid yw'r rhain yn cael eu hawlio bob tro am nifer o resymau, yn cynnwys anfodlonrwydd i dderbyn y diagnosis, gofid ynglŷn â 'thrafod' materion ariannol neu ddim ond oherwydd nad yw pobl yn gwybod bod y budd-daliadau hyn ar gael. Mae rhagor o wybodaeth am hawlio budd-daliadau ym Mhennod 8, sydd hefyd yn sôn am ble i ddod o hyd i gymorth a chyngor arbenigol. Mae'r bennod hefyd yn egluro sut i benodi rhywun i gasglu budd-daliadau ar ran eich perthynas, neu i reoli'r incwm o'r budd-daliadau.

Materion ariannol y cartref

Os yw'n bosibl, anogwch neu helpwch eich perthynas i drefnu debyd uniongyrchol i dalu biliau rheolaidd. Gofalwch fod gwaith papur wedi ei drefnu yn ôl dyddiadau a'i gadw mewn man cyfleus. Mae hyn yn cynnwys datganiadau banc a chymdeithas adeiladu; tystysgrifau cyfranddaliadau; datganiadau morgais; manylion pensiwn, treth ac yswiriant; biliau a gwarantau, ac ati. Mae cael cyfrif banc ar y cyd yn ystod dyddiau cynnar dementia yn gallu bod yn ddefnyddiol iawn, ond pan fydd eich perthynas yn methu rheoli ei faterion ariannol, mae'n siŵr y bydd y banc yn dymuno gwahanu'r cyfrifon banc. Mae'n ddefnyddiol cael cyfrifon banc ar wahân ymhen amser, oherwydd pan ddaw hi'n adeg ystyried opsiynau gofal, bydd yr awdurdod lleol yn cynnal prawf modd. Dylai hwnnw ddim ond ymwneud â materion ariannol yr un sydd â dementia.

Gwneud ewyllys

Dylai pawb wneud ewyllys, felly os nad yw'ch perthynas wedi gwneud hyn eisoes ac mae yntau'n dal i fod yn abl yn feddyliol, nawr yw'r amser i wneud hwn. Dywedir bod unrhyw un sy'n marw heb wneud ewyllys wedi 'marw'n ddiewyllys'. Mae hyn yn golygu y bydd yr ystad (yr arian a'r holl eiddo) yn cael ei rhannu'n unol â chyfraith diewyllysedd – ni fydd, fel mae'r rhan fwyaf yn tybio, yn cael ei throsglwyddo'n awtomatig i'r perthynas agosaf.

Er ei bod hi'n anodd codi pwnc fel hyn, mae ffyrdd o wneud hynny! Gallech ddechrau drwy drafod gwneud eich ewyllys eich hun a gweld beth fydd ymateb eich perthynas. Efallai ei fod yn ystyried gwneud ei ewyllys ei hun ers tipyn ond heb lwyddo i wneud hynny eto. Neu efallai ei fod heb ystyried y mater o gwbl. Gallech awgrymu gwneud ewyllys ar yr un pryd â'ch gilydd. Os oes ganddo ewyllys eisoes, ond bod honno wedi ei gwneud rai blynyddoedd yn ôl, efallai y bydd yn awyddus i'w haddasu. Beth bynnag, dylech gysylltu â chyfreithiwr cyn gynted â phosibl. Ar ôl cael cyngor meddygol, fe fydd y cyfreithiwr yn penderfynu a oes gan eich perthynas 'allu ewyllysiol' o hyd – hynny yw, a yw'r gallu ganddo o hyd i wneud penderfyniadau cyfreithiol.

Petai'r cyfreithiwr yn penderfynu nad oes gan rywun 'allu ewyllysiol', ni fydd hi'n bosibl gwneud ewyllys nac addasu ewyllys sy'n bod yn barod. Ni fydd neb yn gallu gwneud hynny ar ei ran, heblaw'r Llys Amddiffyn, a allai wneud ewyllys statudol dan amodau arbennig. Gall eich cyfreithiwr egluro hyn i chi'n fwy manwl.

Ewyllys fyw

Mae gan unrhyw un dros 18 oed sydd â'r gallu meddyliol hawl i dderbyn neu wrthod triniaeth feddygol. Mae ewyllys fyw yn fodd i bobl fynegi eu dymuniadau'n glir tra mae'r gallu meddyliol ganddyn nhw i wneud hynny. Yng Nghymru a Lloegr, gall ewyllys fyw gynnwys 'penderfyniad ymlaen llaw', sef hawl gyfreithiol i wrthod mathau penodol o driniaethau. Gall ewyllys fyw hefyd gynnwys 'datganiad ymlaen llaw', sef datganiad ysgrifenedig o ddymuniadau cyffredinol, credoau, agweddau neu werthoedd y person. Er nad yw datganiad ymlaen llaw yn rhwymo'n gyfreithiol, mae'n bosibl ei ddefnyddio i helpu teulu, ffrindiau ac arbenigwyr iechyd i wneud penderfyniadau gwybodus ar ran y person. Gallai gynnwys y driniaeth y byddai'n dymuno'i chael ac o dan ba amgylchiadau, y driniaeth y byddai'n well ganddo beidio â'i chael ac o dan ba amgylchiadau, ac enw'r un y dylid ymgynghori ag ef petai angen penderfynu ynglŷn â thriniaeth. Gellid cynnwys cymal yn nodi a fyddai'n fodlon ystyried rhoi cynnig ar feddyginiaeth neu driniaeth newydd petai i'w chael. Dylai gynnwys hefyd: ei enw a'i gyfeiriad llawn; enw, cyfeiriad a rhif ffôn y meddyg teulu, a chadarnhad ei fod wedi ymgynghori ag arbenigwr iechyd cyn gwneud y datganiad. Mae'n werth trafod hyn â'r meddyg teulu fel rhywun sy'n gallu cynnig cyngor ynglŷn â manteision ac anfanteision derbyn neu wrthod triniaethau penodol. Gall y meddyg teulu hefyd gadarnhau bod gan eich perthynas ddigon o allu meddyliol pan wnaeth y datganiad. Pan fyddwch chi a'ch perthynas yn fodlon fod y datganiad yn cynrychioli ei ddymuniadau'n glir, dylai oedolyn nad yw'n perthyn o gwbl i'r un â dementia, nac yn dwrnai iddo dan atwrneiaeth arhosol, nac yn debygol o elwa o'r ewyllys mewn unrhyw ffordd, fod yn dyst i'r datganiad.

Gyrru

Nid oes rhaid i unrhyw un sydd wedi cael diagnosis o ddementia roi'r gorau i yrru ar unwaith. Serch hynny, fe ddaw amser pan na fydd hi'n ddiogel iddo yrru. Er bod gyrru'n ymddangos fel gweithgaredd awtomatig, yn enwedig pan fydd rhywun wedi bod yn gyrru ers blynyddoedd lawer, y gwir yw ei bod hi'n dasg anodd sy'n gofyn am sgiliau gyda'r dwylo a phrosesau meddyliol cymhleth. I yrru'n ofalus, rhaid i rywun allu 'darllen y ffordd', penderfynu ar unwaith, rhagweld beth mae gyrwyr eraill neu gerddwyr yn mynd i'w wneud ac ymateb yn gyflym. Ac wrth gwrs, rhaid gweithredu ar unwaith a heb betruso i osgoi damweiniau.

Wrth i ddementia ddatblygu, mae'n effeithio ar y meddwl, ar ganfyddiad ac ar y gallu i gyflawni tasgau syml. Mae'n anorfod, felly, y bydd yn rhaid i rywun â dementia roi'r gorau i yrru cyn gynted ag y bydd yn fater o ddiogelwch. Bydd amseriad hyn yn amrywio o'r naill i'r llall. Mae'r rhan fwyaf o bobl yn penderfynu rhoi'r gorau iddi drostyn nhw eu hunain wrth i yrru eu drysu neu fynd yn fwy o her, ond mae'r syniad yn ypsetio eraill a byddan nhw'n dal ati i yrru nes iddyn nhw gael eu gorfodi'n gyfreithiol i roi'r gorau iddi.

Mae'n rhaid i rywun sydd wedi cael diagnosis o ddementia ddweud hynny wrth yr Asiantaeth Trwyddedu Gyrwyr a Cherbydau (DVLA). Bydd yn cael holiadur a chais am hawl i gysylltu â'i feddyg neu/ac â'i arbenigwr. Bydd y DVLA wedyn yn penderfynu ar sail y wybodaeth feddygol. Mae'n bosibl i'r DVLA ofyn i'ch perthynas gael asesiad gyrru, a phetai'n fodlon nad yw'r gallu i yrru wedi ei amharu, fe all adnewyddu'r drwydded yrru, fel arfer am flwyddyn, gan asesu'r sefyllfa eto'n gyson ar ôl hynny.

Os ydy'r syniad o orfod rhoi'r gorau i yrru yn ypsetio'ch perthynas, gallwch helpu fel hyn:

- pwysleisio ffyrdd eraill posibl o deithio – bws, trên, tacsi, 'bws siopa', cael lifft gan ffrind neu gymydog, ceir ysbyty
- pwysleisio ffyrdd o leihau nifer y teithiau: er enghraifft, siopa ar-lein mewn archfarchnad sy'n cludo nwyddau i'r cartref
- pwysleisio rhai o fanteision rhoi'r gorau i yrru: er enghraifft, dim rhagor o gostau tanwydd na pharcio, dim rhagor o filiau treth car, MOT, gwasanaethu a thrwsio. Fel arfer mae teithio ar drafnidiaeth gyhoeddus yn achosi llawer llai o straen ac yn gallu bod yn fwy cymdeithasol. Gall peidio â gyrru hefyd olygu mwy o gerdded, sy'n dda i'r iechyd ac i'w ffitrwydd!

Weithiau, mae'r un â dementia mor ddigalon ynglŷn â'r syniad o beidio â gyrru, mae'n dal ati i wneud hynny, er mawr ofid i deulu a ffrindiau. Dyma sefyllfa anodd dros ben ac nid oes atebion syml.

Bydd sut byddwch yn delio â'r sefyllfa yn dibynnu'n bennaf ar yr unigolyn, ond mae cyngor defnyddiol ar gael drwy ffonio llinell gymorth dementia'r Alzheimer's Society: 0300 222 11 22.

Sut bydd eich perthynas yn teimlo

Gallech feddwl bod clywed eich bod yn dioddef o salwch nad oes gwella arno yn ergyd drom, ac mae'n ergyd drom i rai, o leiaf ar y dechrau. Ond i nifer o bobl, mae'r newyddion hefyd yn gallu dod â chyfnod hir o ansicrwydd i ben, o wybod bod rhywbeth yn bod ond heb wybod beth yn union. Mae rhai'n aros am ateb am fisoedd neu hyd yn oed am flynyddoedd, ac efallai'n cael sawl diagnosis anghywir ar hyd y daith. O ganlyniad, gall cael rheswm gwirioneddol dros yr anghofrwydd, yr hwyliau oriog, y methiant i gyflawni tasgau cyfarwydd, fod yn rhyddhad enfawr.

Cafodd Rose, cyn-athrawes fathemateg, ddiagnosis o ddementia fasgwlar pan oedd hi'n 59 oed.

Ro'n i wedi sylweddoli bod rhywbeth yn bod ers dros ddwy flynedd cyn i fi gael diagnosis. Ond do'dd y meddygon ddim yn gwrando arna i. Ar y dechrau, fe ddwedon nhw na ddylwn i ddisgwyl bod o gwmpas fy mhethau gystal ag ro'n i pan o'n i'n iau. Fe ddwedon nhw fod anghofio pethau nawr ac yn y man yn naturiol, yn enwedig wrth heneiddio, a 'mod i'n gwneud y sefyllfa'n waeth drwy boeni am y peth. Ond ro'n i'n gwybod bod pethau'n waeth na hynny – ro'dd fy meddwl yn mynd yn hollol wag yn gyson yng nghanol sgwrs, ac ro'n i'n gwybod nad oedd hynny'n naturiol. Ro'dd fy meddyg teulu eisoes wedi 'nghyfeirio i at seiciatrydd a ddwedodd mai dioddef o iselder o'n i. Rwy wedi dioddef o iselder yn y gorffennol, felly rwy'n gwybod yn iawn sut deimlad yw hynny. Felly ro'n i'n gwybod yn iawn nad dyna oedd yn bod arna i, ond ro'dd fy meddyg teulu'n benderfynol o roi mwy o gyffuriau gwrthiselder i fi.

Yn ffodus, fe ddaeth fy merch gyda fi i'r apwyntiad nesaf gyda'r meddyg teulu gan fynnu ei fod yn fy nghyfeirio i at niwrolegydd, a dyna a ddigwyddodd. Ro'n i'n falch o gael fy nghyfeirio ond ro'n i'n teimlo'n hynod rwystredig am nad oedd neb yn gwrando arna i – ro'n i'n teimlo fel petawn i'n mynd yn wallgof. Gwnaeth y niwrolegydd nifer o brofion, yn cynnwys sgan ar yr ymennydd, cyn dweud bod dementia fasgwlar arna i. Er bod y salwch yn un ofnadwy, ro'n i'n teimlo rhyddhad o gael diagnosis. 'Diolch byth am hynny,' oedd y cyfan allwn i'i ddweud, gan wneud i bawb edrych arna i fel petawn i'n wirioneddol wallgof.

Ond roedd hyn yn golygu y gallwn i eistedd gyda fy merch a fy nau fab a thrafod y camau fyddai angen eu cymryd i'r dyfodol. 'Dyw trafod y pethau hynny ddim yn bleserus, ond mae'n debygol o osgoi unrhyw ddadlau yn nes ymlaen gan fod pawb yn ymwybodol o'r hyn yr hoffwn i ei weld yn digwydd.

Ar hyn o bryd, rwy'n ymdopi'n eithaf da, yn enwedig nawr fod Liz, fy chwaer, wedi symud i fyw gyda fi er mwyn fy helpu. Ond nid dyna fydd y sefyllfa yn y tymor hir, ac rwy'n falch bod cynllun yn ei le ar gyfer yr adegau anodd. Wrth gwrs 'mod i'n teimlo'n ddigalon o dro i dro – oni fyddai unrhyw un? Ond rwy'n canolbwyntio ar fwynhau bywyd tra 'mod i'n gallu gwneud hynny. Os oes ffilm yn y sinema sy'n apelio at Liz a finnau, ry'n ni'n mynd yn syth, y noson honno os yw hi'n bosibl. Mae bywyd yn rhy fyr, wedi'r cwbl!

Roedd Rose yn gallu ymateb yn gadarnhaol i'w diagnosis, ond nid yw pawb yn teimlo felly. Gall eich perthynas brofi nifer o emosiynau gwahanol, yn cynnwys dicter, sioc, drwgdeimlad, gorbryder, ofn a galar. Efallai y bydd yn mynd trwy gyfnod o wadu'r sefyllfa'n llwyr, gan ymddangos mor 'normal' ac iach nes eich bod chithau'n dechrau amau'r diagnosis. Mae hyn yn ddigon cyffredin. Yn aml mae dementia'n datblygu ar raddfa wahanol mewn pobl wahanol ac mewn mathau gwahanol o ddementia. Hefyd, gall difrifoldeb symptomau amrywio, a thrwy hynny fod yn gamarweiniol. Mae'ch perthynas yn gorfod wynebu'r posibilrwydd o golli ei hunaniaeth yn raddol tra mae'n dal i fod yn fyw. Dyma beth anodd ei wynebu a dylech ddisgwyl i hwn fod yn gyfnod anodd i'r teulu cyfan. Mae'n bosibl y byddai cyfarfod â phobl eraill sydd â dementia a siarad â nhw yn help i'r ddau ohonoch, er enghraifft mewn 'caffi Alzheimer' (trowch at dudalen 85). Grwpiau cymorth yw'r rhain, sy'n cyfarfod mewn caffis gyda chefnogaeth yr Alzheimer's Society. Gall pobl â dementia ac aelodau o'u teuluoedd gyfarfod yno i gymdeithasu, cymharu nodiadau a chefnogi ei gilydd. Weithiau, mae siaradwyr proffesiynol yn dod heibio i roi sgwrs. Gofynnwch i'ch cangen leol o'r Alzheimer's Society ynglŷn â hyn (gweler Cyfeiriadau defnyddiol). Mae'n bosibl y bydd pobl sydd wedi bod yn byw gyda dementia am gyfnod yn gallu cynnig cyngor defnyddiol i chi ynglŷn â sut i ymdopi â'r diagnosis a sut i ddygymod â'r cyflwr ar y dechrau.

Eich teimladau chi

Bydd eich ymateb i ddiagnosis rhywun sy'n annwyl i chi'n dibynnu ar nifer o ffactorau, yn cynnwys natur y berthynas rhyngoch, a ydych chi'n byw yn yr un tŷ, faint o gefnogaeth fydd ar gael i chi gan aelodau eraill y teulu, ac ati. Mae un peth yn bendant: bydd eich perthynas yn newid wrth i'r salwch ddatblygu. Efallai mai mân newidiadau digon annelwig fydd i'w gweld i ddechrau ond yn raddol, yn aml dros gyfnod hir o amser, bydd gallu meddyliol eich perthynas yn dirywio ac felly bydd gofyn i chi ysgwyddo mwy o'r baich. Gall hyn fod yn frawychus iawn, yn enwedig os ydych chi'n agos iawn ac mai chi fydd yn debygol o orfod ysgwyddo'r rhan fwyaf o'r baich gofalu yn ogystal â rhedeg y cartref o ddydd i ddydd, fel sy'n digwydd yn achos y rhan fwyaf. Ond peidiwch â digalonni. Mae'r dirywiad fel arfer yn digwydd yn raddol iawn, gan roi cyfle i'r teulu cyfan addasu a chynllunio i reoli'r sefyllfa.

Mae'n bwysig canolbwyntio ar y person, nid y salwch, a gwneud y mwyaf o'r galluoedd sydd ganddo o hyd yn hytrach na galaru am y galluoedd mae wedi'u colli. Mae hefyd yn bwysig ceisio deall sut mae'n teimlo. Gan fod dementia'n effeithio ar allu rhywun i gyfathrebu, gall gwneud hyn fod yn anodd iawn. Dylid cofio mai rhwystredigaeth yw un o'r problemau mwyaf ar y dechrau. Dychmygwch y teimlad o roi rhywbeth yn rhywle ac yna anghofio'n llwyr ble roesoch chi'r peth hwnnw; methu'n llwyr â chofio a ydych chi wedi bwyta cinio neu beidio; mynd i barti pen-blwydd ŵyr neu wyres annwyl yn y prynhawn a methu cofio dim amdano erbyn y nos.

Yn ogystal â'r rhwystredigaethau ymarferol, mae'n rhaid ymdopi â stigma. Mae cymaint o stigma o hyd ynglŷn â dementia, mae pobl nid yn unig yn dal i fod yn gyndyn o drafod y pwnc, ond yn aml yn gyndyn o geisio diagnosis. Mae'n debyg mai dyma'r sefyllfa hefyd gydag unrhyw salwch sy'n effeithio ar sut mae'r meddwl yn gweithio; mae fel petaem ni'n methu deall y peth os ydym ni'n methu gweld beth sy'n bod.

Cafodd Christine Bryden ddiagnosis o fath o glefyd Alzheimer yn 1995 pan oedd hi'n 46 oed. Roedd ei salwch yn golygu ei bod hi'n cael anhawster gwneud pethau ac yn gwneud popeth yn arafach, ond fe aeth ati i ddryllio'r mythau a chodi ymwybyddiaeth o'r salwch, gyda brwdfrydedd a fyddai'n codi cywilydd ar bobl gwbl iach. Er iddi gael gwybod mai 'ychydig flynyddoedd' oedd ganddi, daliodd ati i ysgrifennu, annerch a darlithio ar y profiad o fyw gyda dementia, hyd at 2006, pan aeth y cyfan yn ormod iddi. Yn ei llyfr eithriadol o ysbrydoledig, *Dancing with Dementia* (gweler Darllen pellach, tudalen 113), mae Christine yn disgrifio sut gall ymateb pobl i'r salwch effeithio ar yr un â dementia:

> Mae tasgau dyddiol yn fwy cymhleth; does dim yn digwydd yn awtomatig mwyach. Mae popeth fel petawn i'n eu dysgu nhw am y tro cyntaf. Mae bwyd yn llosgi, y smwddio'n mynd yn angof, y dillad i'w golchi yn dal i fod mewn pentwr, ac mae gyrru yn hunllef. Ry'ch chi'n dweud ein bod ni wedi gofyn y cwestiwn hwnnw eisoes, ond dydyn ni ddim yn cofio hynny. Mae'r cof am y gorffennol yn wag. Mae'r cyfan yn teimlo'n rhyfedd ac yn codi ofn, ond eto ry'ch chi'n rhwystredig â ni. Petaen ni wedi colli braich neu goes, byddech chi'n ein llongyfarch ni am ein hymdrech.

Er ei bod hi'n bwysig ystyried sut mae'ch perthynas yn teimlo, mae'n bwysig peidio ag anwybyddu eich teimladau eich hunan, a allai gynnwys dicter a chwerwedd yn ogystal â thristwch. Wrth i'r cyflwr ddirywio bydd trafod y salwch â'ch perthynas yn mynd yn fwy a mwy anodd, ac yn amhosibl yn y pen draw. Gall hyn olygu eich bod chi'n teimlo'n unig ac ynysig, yn enwedig os mai eich partner yw'r un â dementia. Trowch at Bennod 10 am ragor o wybodaeth am ddelio â theimladau anodd.

Newid rôl

Mae Pennod 4 yn cyfeirio'n benodol at rai o'r problemau sy'n codi os mai eich priod neu eich cymar oes yw'r un sydd â dementia, ond p'un ai eich cymar, un o'ch rhieni neu berthynas arall, neu eich ffrind sydd â dementia, bydd dynameg eich perthynas yn newid nes yn y pen draw, chi fydd yn y rôl flaenaf. Nid yw hyn yn golygu y byddwch chi'n 'rheoli' eich perthynas, ond yn hytrach mai chi nawr fydd yn gofalu am lawer o'r hyn roedd eich perthynas yn arfer delio ag ef heb eich help chi. Gall addasu i rôl newydd fel hyn fod yn heriol i'r ddau ohonoch ond bydd angen i'r ddau ohonoch ei dderbyn cyn gynted â phosibl. Mae pa mor anodd y bydd y newid rôl yn dibynnu gryn dipyn ar y rôl oedd gan y ddau ohonoch yn y gorffennol. Os mai'ch perthynas oedd yr un a oedd yn tueddu i arwain, gan gymryd cyfrifoldeb am nifer o'r penderfyniadau allweddol, neu hyd yn oed yr un i ysgogi'r rhan fwyaf o'r sgwrs fel arfer, efallai y bydd y ddau ohonoch yn teimlo bod y newid ychydig yn fwy anodd na phetai pethau i'r gwrthwyneb. Mae'n bwysig cofio y bydd y trawsnewid yn un graddol, gan roi cyfle i'r ddau ohonoch chi ddod yn gyfarwydd â'r newidiadau.

Yn ei lyfr *Alzheimer's Early Stages*, mae Daniel Kuhn yn defnyddio'r syniad o ddawnswyr i egluro'r newid hwn:

> Pan fydd cwpl yn dawnsio, mae rolau'r arweinydd a'r un sy'n dilyn wedi eu cydgordio'n ofalus. Mae arweinydd da yn dawnsio mewn ffordd sy'n galluogi'r dilynydd i gael ei arwain bron yn ddiymdrech. Gall arwyddion yr arweinydd fod mor gynnil fel nad yw'r dilynydd yn ymddangos fel petai'n cael ei arwain o gwbl. Mae'r cwpl yn dawnsio'n urddasol gyda'i gilydd wrth i'r ddau gydweithio i chwarae eu rôl eu hunain. Yn eich perthynas â rhywun â chlefyd Alzheimer, efallai y bydd angen i chi newid rôl o fod yn ddilynydd i fod yn arweinydd.

Yn naturiol, bydd anawsterau – mae'n sefyllfa anodd – ond y gobaith yw, drwy eich arfogi eich hun â chymaint o wybodaeth â phosibl, y bydd modd cyfyngu ar y rhain.

Rhiant â dementia

P'un a ydym ni'n 5 oed, yn 25 neu'n 55, mae adegau yn ein bywydau o hyd pan fyddwn yn meddwl 'Rwy eisiau Mam', neu 'Rwy'n dweud wrth Dad'. Ar ryw lefel, mae eisiau ein rhieni arnom ni i ofalu amdanom ni o hyd. Ond pan fydd eich rhiant â dementia, bydd ef neu hi'n methu cyflawni'r rôl honno mwyach. Wrth i'r cyflwr ddatblygu, mae'n bosibl y byddwch yn cyfnewid rôl yn llwyr â'ch rhiant, gyda chithau nawr yn gweithredu fel rhiant i'ch rhiant. Mae'n bwysig cofio, er efallai y bydd angen help arnyn nhw yn y pen draw, hyd yn oed gyda phethau rydym ni'n eu hystyried yn bethau cymharol syml a naturiol fel ymolchi, gwisgo neu fwyta, nad plant yw pobl â dementia ond oedolion ag ymennydd oedolyn nad yw'n gweithio'n iawn oherwydd salwch. Mae plentyn yn gallu dysgu a datblygu, ond mae pobl â dementia'n methu gwneud hyn; bydd plentyn yn dibynnu llai ar ei ofalwyr wrth iddo aeddfedu, ond bydd rhywun â dementia'n mynd yn fwy dibynnol. Mae gan rywun â dementia oes o brofiadau o gariad a cholled, o lwyddiant a methiant, o falchder a siom yn ogystal ag oes o atgofion. Bydd llawer o'r rheini'n atgofion o'r gorffennol pell sy'n parhau am amser hir ar ôl i'r cof am yr hyn ddigwyddodd ddeng munud yn gynharach ddiflannu.

Bydd ystyried yr holl ffactorau hyn yn fodd i chi helpu eich rhiant i gadw cymaint o urddas â phosibl yn ystod ei salwch.

Bydd pethau dipyn yn haws os yw'ch perthynas â'ch rhiant wedi bod yn dda erioed, yn hytrach nag yn fwy anodd. Os oes problemau heb eu datrys neu wrthdaro rhyngoch o hyd, mae'n debygol ei bod hi'n rhy hwyr bellach i setlo unrhyw beth yn uniongyrchol. Gall hyn fod yn rhwystredig iawn – yn aml pan fydd problemau yn ein perthynas â'n rhieni, rydym ni'n addo cau pen y mwdwl arnyn nhw drwy drafod â Mam a Dad, gan egluro'n teimladau a dod at asgwrn y gynnen. Byddwn ni'n gwneud hyn, dywedwn, pan fydd yr amser yn iawn. Mae sylweddoli na fydd cyfle'n dod i wneud hynny yn gallu achosi dicter, drwgdeimlad a hyd yn oed galar. Os yw hi'n anodd i chi ymdopi â'r teimladau hollol ddealladwy yma, efallai y dylech ystyried cefnogaeth cynghori. Cysylltwch â Chymdeithas Cynghori a Seicotherapi Prydain (BACP: *British Association of Counselling and Psychotherapy*) am ragor o wybodaeth a manylion ynglŷn â sut i ddod o hyd i gynghorydd (gweler Cyfeiriadau defnyddiol).

Bydd faint y bydd yn rhaid i chi ei wneud yn dibynnu a yw'ch dau riant yn dal i fod yn fyw a pha mor abl yw'r rhiant iach i ddygymod â gofynion partner â dementia. Mae rhai pobl yn gallu dygymod yn dda ar y dechrau, ond bydd angen mwy a mwy o help arnyn nhw wrth i amser fynd yn ei flaen; mae eraill mor siomedig gan y diagnosis fel eu bod hi'n anodd iddyn nhw dderbyn y sefyllfa. Mewn ambell achos, mae'r ffaith fod y naill riant neu'r llall yn gwrthod derbyn bod dim o'i le yn gallu rhoi straen ddifrifol ar y mab neu'r ferch sy'n trio gwneud eu gorau drosto. Gall fod yn rhwystredig os yw hi'n amlwg i'r arbenigwyr meddygol fod dementia ar eich mam ond mae eich tad yn mynnu mai dim ond braidd yn anghofus yw hi.

Mae Anne wedi'i hyfforddi fel nyrs a phan ddechreuodd ei thad gael problemau difrifol gyda'i gof yn ogystal ag anawsterau gyda bywyd pob dydd, roedd hi'n amau mai dementia oedd wrth wraidd pethau.

> Mae 'nhad yn 84 oed ond mae ei feddwl wedi bod yn finiog iawn erioed, felly roedd hi'n amlwg iawn pan ddechreuodd e anghofio pethau. Ar y dechrau, anghofio ffonio rhywun neu dalu biliau oedd y broblem. Wedyn, sylwais ei fod e'n ailadrodd ei hun dipyn, ac roedd e'n amlwg wedi dechrau anghofio beth roedd pobl wedi'i ddweud wrtho – byddai Mam yn dweud ei bod hi am fynd i'r siop ac yn dod 'nôl i weld

bod Dad yn ddig am ei fod yn meddwl ei bod hi wedi mynd allan heb ddweud wrtho.

Fe wnes i fy ngorau i drafod y sefyllfa gydag e, ond roedd e'n gwrthod cydnabod bod unrhyw beth yn bod. Felly, dyma fi'n mynd draw yno ryw ddiwrnod pan o'n i'n gwybod na fyddai e yno, gan godi'r pwnc gyda Mam. Cefais dipyn o sioc o sylweddoli ei bod hithau'n gwadu bod unrhyw beth o'i le ac roedd hi'n ymddangos yn siomedig iawn ac yn eithaf dig â mi am awgrymu'r fath beth. Am eiliad, dechreuais innau amau'r gwir, ond gwaethygu wnaeth pethau. Roedd e'n gadael tapiau i redeg, yn anghofio eillio neu roi ei ddannedd gosod (oedd byth yn digwydd o'r blaen!) a doedd e ddim yn gallu gwisgo amdano bellach heb fynd i drafferthion mawr.

Dechreuais alw gyda nhw bob bore i'w helpu i wisgo, ond roedd hynny'n anodd i fi – rwy'n rhiant sengl ac yn gweithio'n llawn amser – ac roedd y cyfan yn dreth ar Mam. Mae hi'n 81 oed ac roedd y blinder a'r gofid yn ei gwneud hi'n sâl, ond roedd hi'n dal i wadu bod unrhyw beth yn bod. Yn y pen draw, dyma fi'n ei gorfodi hi i wynebu'r sefyllfa a dyna pryd y dechreuodd y dagrau. Y gwir yw ei bod hi'n gwybod ers tro bod rhywbeth yn bod, ond roedd hi wedi dod i'r casgliad petai hi'n mynd â Dad at y meddyg i gael help, y byddai'n cael ei orfodi i fynd i gartref preswyl. Dywedodd ei bod hi'n ofni y bydden nhw'n 'mynd ag e i ffwrdd'.

Yn ffodus, ro'n i'n gallu ei chysuro hi. Llwyddais i'w pherswadio hefyd i ddod gyda fi i siarad â'r meddyg teulu ynglŷn â'r sefyllfa ac i gysylltu â'r gwasanaethau cymdeithasol. Rhoddodd y meddyg teulu ddiagnosis o glefyd Alzheimer, er nad yw Dad yn gwybod hynny o hyd ac mae Mam yn benderfynol na ddylai gael clywed y gwir. Ond o leiaf maen nhw'n cael ychydig o help yn y cartref nawr – mae un gofalwr yn galw bob bore i'w helpu i godi ac un arall yn dod gyda'r nos i'w helpu i fynd i'r gwely. Rwy'n galw i mewn bob dydd ar ôl gwaith ac yn helpu yn ystod y penwythnos. Mae Mam yn edrych dipyn yn well erbyn hyn a gyda help y gofalwyr, rwy'n meddwl y bydd hi'n iawn gartref am gyfnod go faith eto.

Os yw'ch rhieni'n gwrthod derbyn beth sy'n amlwg i chi, peidiwch â gwastraffu egni'n dadlau â nhw; y peth pwysicaf yw sicrhau bod eich rhieni'n ddiogel. Felly, os yw'ch mam yn crwydro yn ystod y nos neu'n cynnau'r nwy dan y tegell trydan, dyma'r heriau sydd angen mynd i'r afael â nhw gyntaf yn hytrach na phendroni a oes dementia arni ai peidio. Oherwydd y berthynas plentyn a rhiant, gall eich rhiant ddigio gan feddwl eich bod chi'n ymyrryd. Dyma pryd mae help o'r tu allan yn ddefnyddiol. Efallai y bydd brodyr neu chwiorydd (os oes gennych chi rai) yn barod i'ch cefnogi ac i'ch helpu (gweler isod). Mewn undod mae nerth, medden nhw, er efallai y bydd angen i chi bwysleisio mai gweithredu yn sgil gofid yr ydych chi. Os ydych chi'n unig blentyn neu os yw'ch brawd neu'ch chwaer yn byw yn rhy bell i ffwrdd, a oes unrhyw aelod arall o'r teulu a allai eich cefnogi chi? Neu efallai fod gan eich rhieni ffrindiau neu gymdogion a allai gynnig help llaw? Mae'n bosibl y gallai gair bach gan un o'u cyfoedion fod yn fwy derbyniol na swnian cyson gan eu plant.

Brodyr a chwiorydd

P'un a oedd eich perthynas â'ch rhiant yn dda neu'n ddrwg, gall bod yn brif ofalwr iddo fod yn brofiad dyrys a heriol. Os oes gennych frawd neu chwaer, gallech rannu'r baich, ond mae'r cyfrifoldeb fel arfer yn cael ei ysgwyddo gan un person, naill ai oherwydd ei fod yn byw'n nes at y rhiant neu oherwydd y dybiaeth (gan y brodyr neu'r chwiorydd eraill) fod gan hwnnw lai o gyfrifoldebau teuluol. Mae'n bwysig sicrhau bod eich brodyr neu eich chwiorydd yn rhannu ychydig o'r cyfrifoldeb, o leiaf. Hyd yn oed os ydyn nhw'n byw'n rhy bell i ffwrdd i wneud y siopa neu i fynd â'ch rhiant i apwyntiadau meddygol yn gyson, efallai y gallen nhw ysgwyddo rhywfaint o'r baich gweinyddol. Neu efallai y gallen nhw ddod i aros am ychydig ddyddiau er mwyn i chi gael seibiant, neu gael eich rhiant i aros gyda nhw am dipyn. Y ffordd orau o drefnu pwy sy'n gwneud beth yw galw cyfarfod teuluol i drafod y sefyllfa a faint o help sydd ei angen ar eich mam neu eich tad. Efallai y bydd eich brodyr a'ch chwiorydd yn meddwl eich bod yn gorliwio'r salwch a faint o help a chefnogaeth sydd eu hangen, yn enwedig os ydyn nhw heb weld eich rhiant yn aml iawn. Os yw hyn yn digwydd, efallai y byddai'n syniad gofyn i'r meddyg teulu neu i'r nyrs seiciatrig gymunedol ddod i'r cyfarfod er mwyn helpu i egluro'r sefyllfa. Byddai hyn yn newid dynameg y cyfarfod, gan y byddai'n fater o arbenigwr meddygol yn egluro anghenion eich perthynas wrth ei deulu, yn hytrach na chithau'n gofyn am help gan eich brodyr a'ch chwiorydd.

Faint o help?

Gall penderfynu faint o help y mae ei angen ar eich perthynas fod yn dipyn o her, yn enwedig gan fod symptomau dementia'n amrywio cymaint. Heddiw, efallai y bydd eich perthynas yn gwbl abl i baratoi cinio dydd Sul i bedwar; yfory, efallai na fydd yn gallu cofio sut i wneud paned o de. Gall hyn arwain at rwystredigaeth i bawb. Er enghraifft, ar ddiwrnod 'da', gallai'r diagnosis ymddangos yn anghywir i chi – mae'ch perthynas yn edrych yn iach, yn ymdopi'n dda â'i drefn arferol, yn gallu dilyn sgwrs, ac yn gallu cofio (hyd yn oed yn well na chi!) enwau hanner cast y ffilm honno yr aethoch chi i'w gweld gyda'ch gilydd y llynedd. Felly rydych chi'n dechrau meddwl efallai nad dementia yw'r broblem, efallai mai rhywbeth syml oedd yn bod a bod popeth yn iawn bellach. Wedyn, ddiwrnod neu ddau'n ddiweddarach, mae'n penderfynu smwddio, ond mae'n anghofio hanner ffordd drwy wneud hynny ac yn dechrau hwfro, gan adael i'r haearn smwddio losgi drwy'r dillad gwely. Mae'n amlwg eich bod chi'n awyddus i gynnig cymaint o help â phosibl, ond dyma rywbeth sydd angen ei ailasesu'n gyson. O safbwynt eich perthynas, gall y cyfan fod yn rhwystredig oherwydd mae'n gwneud ei orau i fod mor annibynnol â phosibl, ac yn ceisio osgoi 'bod yn faich'. Ond ar y llaw arall, mae eisiau teimlo'n ddiogel a bodlon arno, ac os yw'n ymddangos fel petai'n gallu ymdopi'n dda â thasgau pob dydd, mae'n hawdd anghofio hyn.

Mae Doreen, mam Janet, yn 83 oed a chafodd ddiagnosis o glefyd Alzheimer chwe blynedd yn ôl. Bellach mae'n byw mewn cartref preswyl sy'n arbenigo mewn gofalu am bobl â dementia.

Roedd Mam yn ymdopi'n eitha da am gyfnod ar ôl cael ei diagnosis. Roedd hi'n gogyddes mewn ysgol pan oedd hi'n iau ac wrth ei bodd yn y gegin. Daliodd ati i helpu gyda'r coginio yng nghlwb cinio'r henoed, a byddai'n dal i siopa ac i goginio gartref am dipyn wedi'r diagnosis. A dweud y gwir, ro'n i'n dechrau amau eu bod nhw wedi gwneud camgymeriad. Byddai'n anghofio pethau, ond rwy innau'n gwneud hynny hefyd; beth ro'n i heb ei sylweddoli oedd mor ddrwg roedd pethau wedi mynd, yn enwedig gan ei bod hi'n ymddangos mor annibynnol. Byddai'n digio petawn i'n trio gwneud rhywbeth drosti, yn enwedig unrhyw beth a oedd yn ymwneud â choginio. Yr unig beth roedd hi'n fodlon i fi ei wneud oedd ysgrifennu ryseitiau allan iddi. Byddai'n teimlo'n hynod rwystredig o fethu cofio sut i goginio pethau cyfarwydd ond roedd hi'n dal i allu dilyn y ryseitiau ar y dechrau. Ro'n i'n gwybod bod ei chof yn gwaethygu. Weithiau byddai'n anghofio gwisgo amdani a byddai'n dal i fod yn ei gŵn nos pan fyddwn i'n galw ar y ffordd adref o'r gwaith, ond chwerthin fyddai hi, felly doedd y sefyllfa ddim yn ymddangos yn ddifrifol iawn.

Dim ond pan ddechreuodd hi anghofio bwyta neu baratoi prydau bwyd na allai neb eu bwyta – gan ychwanegu'r un cynhwysion dair neu bedair gwaith neu anghofio'u defnyddio'n llwyr am ei bod hi'n methu cofio beth roedd hi wedi'i wneud eisoes – y sylweddolais i pa mor ddrwg roedd y sefyllfa. Dyna pryd y dechreuais i sylwi mwy ar bethau eraill. Do'n i ddim wedi edrych yn fanwl o gwmpas y tŷ, er enghraifft, a ches i dipyn o sioc. Roedd y llofft yn frwnt ac yn anniben iawn, a phethau wedi eu rhoi mewn mannau rhyfedd – pethau roedd Mam yn siŵr ei bod hi wedi eu colli neu fod rhywun wedi eu dwyn. Doedd hi ddim wedi talu biliau nac wedi agor y llythyrau hyd yn oed.

Roedd sylweddoli hyd a lled y broblem yn ergyd drom. Dylwn i fod wedi ei gweld cyn nawr, ond oherwydd bod Mam yn ymddangos fel petai'n ymdopi gystal â rhai pethau, ro'n i'n ddall i bopeth arall. Ro'n i'n twyllo fy hun nad dementia oedd arni. Cyn gynted ag y sylweddolais i hyd a lled y broblem, dechreuodd fy chwaer a finnau aros gyda hi am yn ail fel nad oedd hi byth ar ei phen ei hun, ond wrth i'r sefyllfa waethygu, dewis gofal preswyl wnaethon ni a dyna lle mae hi wedi bod ers bron dwy flynedd. Erbyn heddiw, 'dyw hi ddim yn fy adnabod i na fy chwaer pan fyddwn ni'n ymweld â hi, ond ar y cyfan, mae'n edrych yn ddigon hapus, ac mae'n canu tipyn – mae'n gallu cofio geiriau caneuon roedd hi'n eu canu i ni pan o'n ni'n blant!

Mae'r hyn y mae Janet yn ei ddisgrifio'n sefyllfa ddigon nodweddiadol ac ni ddylai ei beio ei hun am beidio â sylweddoli bod cyflwr ei mam yn dirywio. Weithiau, pan fydd pobl yn ymdopi'n dda ag ambell beth, mae'n hawdd anghofio'r pethau eraill sy'n digwydd, yn enwedig pan fydd rhywun yn edrych yn iach. Un o'r pethau mwyaf anodd o safbwynt dementia yw bod y rhai sydd â'r salwch yn aml yn ymddangos yn hollol iach ac yn debygol o ddadlau'n gryf iawn yn erbyn unrhyw awgrym ei bod hi'n anodd iddyn nhw ymdopi.

Dyma rywbeth y dylid ei drafod ar y dechrau, os oes modd.

4

Cymar â dementia

Bydd effaith dementia ar eich perthynas yn dibynnu i raddau helaeth ar sut roeddech chi a'ch cymar yn rheoli eich perthynas yn y gorffennol. Os mai chi oedd fel arfer yn arwain o fewn y berthynas, neu os oedd gan eich cymar a chithau rôl gymharol gyfartal, efallai y bydd hi'n haws i chi addasu o gymharu â rhywun a oedd yn fwy parod i gael ei arwain. Yn yr un modd, os ydych chi wedi creu partneriaeth glòs, gariadus a chadarn gyda'ch gilydd, byddwch yn fwy tebygol o lwyddo i ymdopi â'r problemau y bydd dementia'n eu taflu atoch ychydig yn haws na chyplau sydd mewn perthynas lai sefydlog neu gythryblus. Ond hyd yn oed os ydych chi wedi bod yn briod ers blynyddoedd, a'ch bod mewn perthynas gadarn iawn ac yn hen gyfarwydd â chymryd cyfrifoldebau, fydd pethau ddim yn hawdd, yn enwedig wrth i'r cyflwr ddirywio ac i gyfathrebu fynd yn fwy o her. Gall hyn wneud i chi deimlo'ch bod chi ar eich pen eich hun. Os nad ydych chi a'ch partner yn agos iawn, neu os yw'r briodas yn un anhapus, gallai'r syniad o ofalu am eich cymar fod yn un brawychus.

Mae priodas neu bartneriaeth yn blodeuo pan fydd y naill a'r llall yn gallu meithrin ei gilydd, gan annog eu breuddwydion a'u huchelgais, yn ogystal â rhannu siom a hapusrwydd ei gilydd. Bydd y ddau gyda'i gilydd hefyd yn rhannu ochr ymarferol bywyd. P'un a yw pethau wedi eu rhannu'n gyfartal ai peidio, mae'n fwy na thebyg y bydd ambell orchwyl a chyfrifoldeb y bydd y ddau bartner yn ystyried mai ei 'waith' ef neu hi ydyw. Rhaid i hyn newid yn sgil dementia. Felly, er enghraifft, os mai chi sydd wedi bod yn gyfrifol erioed am drefniadau gweinyddol y cartref, yr addurno a'r coginio, a'ch partner yn gofalu am yr ardd, golchi dillad a siopa, yn raddol bydd angen i chi fod yn gyfrifol am fwy a mwy o'r tasgau hynny nad ydych chi erioed wedi gorfod poeni amdanyn nhw o'r blaen. Yn naturiol, rhywbeth graddol fydd hyn – ni fydd eich pwysau gwaith yn dyblu dros nos – ond efallai y bydd angen i chi ddysgu sgiliau newydd i wneud tasgau sy'n newydd sbon i chi. Yn anffodus, mae'n anorfod y bydd eich bywyd yn prysuro ac yn mynd yn fwy cymhleth yn sgil dementia eich cymar. Felly, mae'n bwysig i chi ystyried nawr sut mae modd lleihau effaith negyddol y fath newidiadau. Mae'n rhaid trio deall y cyfyngiadau cynyddol ar allu eich cymar a gweithio gyda nhw. Dyma rai pethau a allai helpu:

- Gofynnwch i'ch cymar egluro tasgau penodol i chi tra mae'n dal i allu eu gwneud.
- Nodwch fanylion y tasgau hynny ar bapur rhag ofn i chi anghofio – gyda chymaint ar eich meddwl, mae'n ddigon posibl y byddwch chithau'n cael ambell broblem â'ch cof!
- Penderfynwch pa dasgau y mae angen i chi eich hun eu gwneud, a pha rai y gallech eu rhoi i rywun arall. Efallai y byddai cynnal cyfarfod teuluol a chreu system rota yn syniad. Os nad oes teulu gennych yn byw gerllaw, efallai y gallech drefnu cynllun 'cyfnewid sgiliau' gyda'ch cymdogion: er enghraifft, torri glaswellt yn gyfnewid am gaserol cartref, neu siopa yn gyfnewid am glirio cafnau'r tŷ.
- Meddyliwch am ffyrdd o gwtogi ar y pethau mae angen eu gwneud. Er enghraifft, os oes angen torri lawnt yn eich gardd, a fyddai'n bosibl ailgynllunio'r ardd a rhoi cerrig palmant neu gerrig mân yn lle'r lawnt? Os ydych chi'n talu eich biliau â siec neu gerdyn credyd, beth am dalu drwy ddebyd uniongyrchol fel nad oes rhaid i chi wneud dim i dalu'r bil?
- A fyddai'n bosibl talu rhywun arall i fod yn gyfrifol am y tasgau y mae eich cymar wedi eu gwneud erioed; er enghraifft, glanhau'r ffenestri, smwddio, golchi'r car, ac ati?

Rhyw ac agosatrwydd gyda chymar â dementia

Mae dementia'n achosi newidiadau ym mhob agwedd ar fywyd ac yn debygol iawn felly o newid eich bywyd rhywiol. Y duedd yw osgoi trafod y pwnc yma – mae ein cymdeithas yn tueddu i wadu rhywioldeb pobl oedrannus a/neu sâl. Mae'n ddigon gwir fod ochr rywiol eu perthynas yn mynd yn llai pwysig i rai cyplau wrth iddyn nhw heneiddio, yn enwedig os byddan nhw'n sâl hefyd. Ond i nifer o bobl, mae agosatrwydd rhywiol yn parhau i fod yn agwedd bleserus a dymunol ar agosatrwydd eu perthynas drwy gydol eu henaint ac er gwaethaf salwch. Nid oes rhaid i gyfathrach rywiol ddod i ben yn sgil dementia ond mae angen bod yn barod i wynebu newidiadau, fel ym mhob agwedd arall ar eich perthynas.

Gall y diagnosis ei hun gael effaith ar eich bywyd rhywiol. Ar yr ochr gadarnhaol, gallai egluro'r problemau a'r anawsterau diweddar – pethau a oedd ar yr olwg gyntaf efallai'n awgrymu problem gyda'ch perthynas, ond a oedd yn deillio mewn gwirionedd o'r salwch. Ar y llaw arall, gall y cadarnhad bod dementia ar eich cymar wneud i'r ddau ohonoch brofi emosiynau negyddol fel dicter, pryder, chwerwder, euogrwydd, ofn, ac wrth gwrs, tristwch a galar. Mae teimlo fel hyn yn hollol naturiol – wedi'r cwbl, mae'r sefyllfa'n un annifyr. Ond dyma'r adeg y gall cryfder eich perthynas eich helpu i drafod eich teimladau. Trïwch rannu eich gofidiau, eich meddyliau a'ch ofnau ynglŷn â'r dyfodol. Wrth i'r salwch ddatblygu, bydd cyfathrebu ar lafar yn dod yn fwy anodd, ac o ganlyniad fe allai agosatrwydd personol ddod yn ddull pwysicach byth o gyfathrebu ac yn ffynhonnell gyfoethog o bleser a chysur i'r ddau ohonoch.

Yr ymennydd sy'n rheoli teimladau, moesau a swildod (*inhibition*), felly'r tebygrwydd yw y bydd yn effeithio ar ymddygiad rhywiol. Ond mae llawer o bobl â dementia'n dal i allu mwynhau bywyd rhywiol hapus a boddhaus am flynyddoedd lawer. Llwydda'r rhan fwyaf o gyplau i gyflawni hyn drwy gydnabod bod newidiadau'n debygol a meddwl sut i addasu yn sgil hynny. Bydd natur y newidiadau'n dibynnu ar ba ran o ymennydd eich cymar sydd wedi ei heffeithio ac ar ei feddyginiaeth. Gallai newidiadau gynnwys y canlynol:

- llai o ddiddordeb neu ddim diddordeb mewn rhyw
- mwy o ddiddordeb mewn rhyw
- bod yn fwy neu'n llai abl i 'berfformio' yn rhywiol
- bod yn fwy neu'n llai swil nag arfer
- ymddangos fel petai'n anwybyddu 'moesau' rhywiol derbyniol, er enghraifft, ymddangos yn ansensitif i'ch teimladau a'ch anghenion chi, neu ymddangos yn hunanol neu hyd yn oed yn ymosodol yn y gwely
- ymddygiad rhywiol amhriodol neu od.

Felly, sut ydych chi'n delio â'r problemau hyn?

Colli diddordeb mewn rhyw

Mae lleihad mewn libido'n gyffredin iawn ymysg pobl â dementia, yn ogystal â dynion yn cael trafferthion rhywiol a merched yn cael problemau sychder yn y wain. Nid yw hi'n glir ai niwed i'r ymennydd yn sgil dementia sy'n gwbl gyfrifol am y fath broblemau neu ymateb seicolegol i'r diagnosis. Mae rhai cyplau'n ddigon bodlon gweld yr agwedd hon ar eu perthynas yn arafu cyn belled â bod yr agosatrwydd a'r anwyldeb yn parhau. Gall problemau godi pan fydd y naill yn dyheu am ryw, ond nid y llall. Yn naturiol, mae hyn yn broblem i unrhyw gwpl, nid dim ond i'r rhai sy'n byw gyda dementia. Yn aml, adlewyrchiad o angen pobl i deimlo cariad ac agosatrwydd yw eu hawydd am ryw – i deimlo'n werthfawr o fewn perthynas ac i deimlo'n ddiogel yn ei chariad. O gael mwy o agosatrwydd corfforol rhyngoch chi'ch dau – drwy gyffwrdd, anwesu, cusanu, cofleidio, dal dwylo ac ati – mae'n bosibl y bydd eich dyhead am weithgaredd rhywiol yn lleihau; ond os na fydd hynny'n digwydd, mae'n bwysig cydnabod hyn a pheidio â theimlo cywilydd. Mae cynnydd mewn tensiwn rhywiol yn gallu gwneud i chi deimlo'n rhwystredig ac anghyfforddus, ac fe all wneud i chi deimlo'n chwerw neu'n ddig wrth eich cymar, hyd yn oed o wybod mai effaith dementia yw'r diffyg awch yn hytrach nag arwydd o unrhyw broblem rhwng y ddau ohonoch. Gall ymarfer corff a/neu fastyrbio helpu i ryddhau'r tensiwn yma ac mae'n ateb ymarferol da.

Cynnydd mewn awydd am ryw

Mae'n ddigon arferol i rywun â dementia brofi cynnydd yn ei awydd am ryw, er mawr foddhad i ambell gymar. Serch hynny, os nad oes croeso i'r fath gynnydd, mae'n gallu achosi problemau. Er enghraifft, efallai y byddwch yn gyndyn o ddangos arwyddion o anwyldeb, fel cofleidio neu gusanu eich cymar rhag ofn iddo/iddi ddehongli'r rheini fel arwydd eich bod chithau am gael rhyw. Os byddwch chi'n teimlo bod gofynion rhywiol eich cymar yn ormod i chi, un ateb posibl fyddai trio dod o hyd i rywbeth arall i'w wneud gyda'ch gilydd fel eich bod chi'n dal i ddangos anwyldeb. Wrth gwrs, gall hyn fod yn dipyn o her os yw'ch cymar yn dal i afael ynoch chi yn y gwely gyda'r nos, ond gallai fod yn bosibl.

Weithiau, gall pobl â dementia fod yn annodweddiadol o ymosodol yn rhywiol, hyd yn oed yn dreisgar. Os bydd hyn yn digwydd, cadwch draw oddi wrth eich cymar nes i'w hwyl wella. Yn aml, wrth i'r salwch ddatblygu, bydd y person yn tawelu. Ond os bydd ymddygiad treisgar yn dod yn broblem ddifrifol neu os byddwch chi'n methu ymdopi, gofynnwch am gyngor gan eich meddyg neu'ch ymgynghorydd.

Mae'n bosibl cael presgripsiwn am feddyginiaeth mewn achosion fel hyn, er mai dyma'r cam olaf fel arfer.

Ymddygiad rhywiol anodd neu heriol

Gan fod dementia'n effeithio ar yr ymennydd, gall ymddygiad eich cymar yn ystod rhyw neu ar ei ôl fod yn wahanol iawn i'r hyn yr oedd cyn i'r salwch amlygu ei hun. Gall rhai pobl â dementia ymddangos yn fewnblyg ac ynysig wrth gael rhyw; weithiau byddan nhw'n anghofio ar unwaith eu bod wedi cael rhyw, neu fe allan nhw ymddangos fel nad ydyn nhw'n adnabod eu cymar. Oherwydd bod rhyw yn weithred mor bersonol, rhywbeth rydych chi wedi ei rannu, ei fwynhau ac wedi chwerthin amdano gyda'ch gilydd am flynyddoedd lawer, gall unrhyw un o'r senarios hyn fod yn hynod annifyr, gan roi'r argraff weithiau bod eich cymar yn hunanol a dideimlad, neu nad yw'n meddwl llawer ohonoch mwyach. Mae rhai wedi dweud bod cael rhyw gyda chymar â dementia'n gwneud iddyn nhw deimlo fel gwrthrychau neu fel 'darn o gig'. Er eich bod yn deall ac yn derbyn yn rhesymegol mai dementia sydd wrth wraidd y broblem, nid yw hynny yn ei gwneud hi'n haws dygymod â'r sefyllfa. Os bydd hyn yn digwydd i chi a bod y fath sefyllfa yn eich gofidio, gofynnwch am gefnogaeth i'ch helpu chi i ddod i delerau â beth sy'n digwydd. Cysylltwch â'r Alzheimer's Society (gweler Cyfeiriadau defnyddiol) i drafod y sefyllfa ag un o'u gweithwyr cymorth.

Gall dementia achosi i bobl golli eu swildod, gan arwain at ymddygiad rhywiol anaddas neu hyd yn oed ymosodol a threisgar. Eto, mae'n bwysig cofio mai'r dementia sy'n siarad, yn hytrach na'r un sydd â'r salwch. Ond y peth pwysicaf yw eich cadw eich hun yn ddiogel. Os yw eich partner yn gryfach na chi yn gorfforol ac yn trio defnyddio grym i'ch gorfodi i gael rhyw, neu os byddwch yn cytuno i gael rhyw oherwydd eich bod yn ofni beth fyddai'ch cymar yn ei wneud petaech chi'n gwrthod, dylech ofyn am help yn hytrach na thrio ymdopi ar eich pen eich hun. Siaradwch â'ch meddyg teulu neu cysylltwch â llinell gymorth dementia'r Alzheimer's Society (0300 222 11 22) am gyngor cyfrinachol.

Gall colli swildod rhywiol achosi i'ch cymar ymddwyn mewn ffyrdd anaddas eraill, efallai drwy sôn yn gyhoeddus am deimladau rhywiol, neu eu dangos. Gall pobl â dementia ddechrau dadwisgo, cyffwrdd â nhw eu hunain, neu efallai ddechrau siarad mewn ffordd rywiol â phobl heblaw am eu partneriaid. Efallai y byddan nhw'n camgymryd eu cymar am rywun dieithr. Gall y fath ymddygiad achosi siom a chywilydd, a gall fod yn brofiad poenus a rhwystredig i'ch cymar, yn enwedig os yw'n methu'n lân â deall pam mae'r fath ymddygiad yn cael ei ystyried yn anaddas. Os mai felly y mae hi, trïwch gysuro'ch cymar gan geisio'i berswadio'n dawel i beidio ag ymddwyn fel hyn, efallai drwy dynnu ei sylw â gweithgaredd arall. Mae'n werth cofio hefyd bod ambell beth sy'n ymddangos fel ymddygiad rhywiol – dadwisgo, cyffwrdd â'i hunan, ac ati – mewn gwirionedd yn arwydd o rywbeth hollol wahanol. Efallai mai'r cyfan y mae'n ei olygu yw bod angen mynd i'r tŷ bach arno, ei fod yn rhy boeth, ei fod yn cosi, neu fod ei ddillad yn rhy dynn. Trïwch weld beth sy'n achosi'r ymddygiad cyn ei ddehongli fel rhywbeth rhywiol. Trowch at Bennod 6 am ragor o wybodaeth am ymdopi ag ymddygiad anarferol neu anodd.

Yr effaith bosibl ar eich teimladau chi

Wrth i ddementia eich cymar ddatblygu, efallai y bydd y syniad o gael rhyw yn apelio'n llai atoch. Gall hyn ddigwydd am nifer o resymau.

Blinder

Gall cael cymar â dementia wneud i chi fod yn flinedig yn feddyliol a chorfforol, hyd yn oed os ydych chi yn cael rhywfaint o help gyda'r gofal. Os mai dyma'r sefyllfa, trïwch gysuro eich cymar gan ddangos anwyldeb mewn ffyrdd eraill. Efallai y bydd mynd ar wyliau byr neu drefnu gofal seibiant o dro i dro (trowch at dudalen 85) yn rhoi cyfle i chi ddadflino a dod atoch chi'ch hun ddigon i allu adfywio'r ochr honno o'ch perthynas, hyd yn oed os nad yw'n digwydd yn aml.

Gofal personol

Os mai chi yw'r prif ofalwr, efallai y bydd rhai o'r tasgau personol pob dydd y bydd angen i chi eu gwneud i helpu eich cymar – ymolchi, gwisgo, mynd i'r tŷ bach ac ati – yn golygu nad yw'r syniad o gael rhyw yn apelio gymaint atoch. Dyma un o'r anawsterau sy'n rhaid eu hwynebu'n aml o ganlyniad i'r newid yn eich perthynas o fod yn bartneriaid cyfartal i fod yn 'ofalwr' a'r un sy'n 'cael gofal'. Mae'n bosibl eich bod yn teimlo dyletswydd i ofalu am anghenion personol eich cymar, ond fe fyddwch eisoes wedi gorfod ysgwyddo baich ychwanegol o ganlyniad i'w salwch, felly os yw hi'n bosibl, mae'n werth ystyried gofyn am help allanol gyda'r tasgau hyn (trowch at dudalen 80), er mwyn i chi allu teimlo'n fwy o gymar oes unwaith eto. Weithiau mae dim ond y ffaith mai chi bellach sy'n gofalu am eich cymar yn gallu bod yn ddigon i newid y ddynameg rywiol rhyngoch. Wedi'r cyfan, gall y gair ddod yn rhyw fath o label ac mae'n awgrymu'r syniad o fagu plant. Un ffordd bosibl o ddelio â hyn yw sicrhau mai eich rôl fel cymar oes sy'n cael blaenoriaeth. Er enghraifft, os ydych chi wedi gorfod gwneud nifer o orchwylion fel 'gofalwr' yn ystod y bore, gofalwch eich bod chi'n gwneud rhywbeth gyda'ch gilydd fel cwpl yn y prynhawn, hyd yn oed os mai dim ond mynd am dro neu aros yn rhywle i gael coffi y byddwch chi'n ei wneud. Pwysleisiwch y ffaith eich bod chi'n dal i fod yn gwpl, ac os nad yw hi'n bosibl i chi gael help o'r tu allan gyda'r gofal personol, defnyddiwch hiwmor i ymdopi ag anawsterau, pan mae'n bosibl. Mae siarad â gweithiwr cymorth ynglŷn â'r agwedd hon ar ymdopi â dementia yn gallu helpu hefyd. Cysylltwch â'r Alzheimer's Society am gyngor.

Newid yn ymddygiad eich partner

Fel rydym ni wedi gweld eisoes, mae dementia'n gallu gwneud i ymddygiad rhywiol pobl newid, gan achosi ymddygiad rhyfedd, lletchwith, ansensitif neu hyd yn oed ymosodol. Dywed ambell un ei fod yn teimlo fel petai'n cael rhyw gyda dieithryn yn hytrach nag yn caru â'i gymar oes. Mae'n amlwg bod hyn yn gwneud mwynhau perthynas rywiol yn anodd. Trïwch gofio mai'r salwch sy'n achosi'r newidiadau, ac efallai nad yw'ch cymar yn deall pam mae ei ymddygiad yn anaddas. Gall deimlo'n ddryslyd neu mewn gwewyr yn sgil eich ymateb chi, felly trïwch gael hyd i ffyrdd eraill o ddangos cariad tuag at eich gilydd. Os yw ymddygiad rhywiol eich cymar yn eich gofidio, peidiwch â dioddef yn dawel – dim ond arwain at gasineb wnaiff hynny, ac ni fydd o les i'r un ohonoch chi yn y tymor hir. Fe allai trafod y sefyllfa â rhywun proffesiynol fod o help.

Os ydych yn cael anawsterau, gallech benderfynu symud i wely neu ystafell ar wahân. Efallai na fydd eich cymar yn gallu deall beth sy'n digwydd ac efallai y bydd yn ffwndrus ac yn ofidus oherwydd hyn. Unwaith eto, byddai'n syniad siarad ag arbenigwr ym maes dementia ynglŷn â'r mater.

Os ydy'ch teimladau chi'n aros yr un fath

Weithiau, ni fydd teimladau rhywun at gymar yn newid o gwbl, gan eu galluogi i gynnal perthynas rywiol gariadus er bod y salwch yn datblygu. I gyplau sy'n dal i fwynhau ochr gorfforol eu perthynas, bydd agosatrwydd rhywiol yn dod yn fwy a mwy pwysig wrth i ffyrdd eraill o gyfathrebu ddod yn fwy anodd. Efallai y bydd yn dod yn ddull hanfodol o gysylltu â'ch cymar, o werthfawrogi eich gilydd fel yr ydych wedi'i wneud ar hyd eich oes.

Serch hynny, hyd yn oed os nad yw eich teimladau at eich cymar wedi newid, gall anawsterau godi os yw'n methu cyfathrebu ar lafar ac yn ddiymateb wrth gael rhyw. Efallai y byddwch chi'n gofidio nad oedd eich cymar eisiau cael rhyw mewn gwirionedd, a gall hyn wneud i chi deimlo'n euog, fel petaech yn manteisio ar y ffaith nad yw'n gallu mynegi ei ddymuniadau'n glir. Os yw hyn yn digwydd, mae'n bwysig eich bod yn talu sylw manwl i iaith corff eich cymar. Byddwch yn ymwybodol o arwyddion dieiriau, a pheidiwch os ydych yn gweld unrhyw arwydd nad yw'n awyddus i barhau.

Cynnal perthynas rywiol pan fydd eich cymar mewn gofal preswyl

Os yw'ch cymar yn byw mewn cartref gofal neu breswyl, neu ar fin symud i fyw mewn un, efallai eich bod yn gofidio mai dyma fydd diwedd eich perthynas rywiol. Hyd yn oed os yw rhywun yn oedrannus neu'n sâl, maen nhw'n dal i fod yn fodau rhywiol ac mae ganddyn nhw hawl gyfartal i fynegi eu rhywioldeb. Siaradwch â rheolwr y cartref gan egluro bod y ddau ohonoch yn dymuno preifatrwydd o dro i dro a gofynnwch sut y gallai drefnu hyn. Efallai eich bod am holi a oes polisi rhywioldeb gan y cartref a pha hyfforddiant mae aelodau'r staff wedi ei gael ar y materion hyn. Er enghraifft, petai un o'r trigolion yn drysu ac yn dangos teimladau rhywiol tuag at un o'r trigolion eraill neu at aelod o'r staff, sut bydden nhw'n ymdopi â hyn?

Aros yn bositif

Mae'n amlwg y gall dementia gael effaith andwyol iawn ar berthynas ond gall y ddau ohonoch wneud cryn dipyn i gynnal perthynas iach. Gall treulio amser ar wahân roi seibiant i'r ddau ohonoch – efallai y bydd eich cymar yn teimlo'n euog am fod yn 'faich', felly gallai groesawu'r cyfle i ymlacio o wybod eich bod chithau'n cael amser i chi eich hun. Os nad yw hi'n ddiogel bellach i'ch cymar wneud pethau ar ei ben ei hun, gofynnwch i ffrind neu berthynas am ychydig o help bob hyn a hyn.

Pan fyddwch chi gyda'ch gilydd, trïwch neilltuo ychydig o amser ar gyfer 'hwyl' a chymdeithasu, yn ogystal ag ymdopi â'ch trefn bob dydd. Gall ymweld â ffrindiau gyda'ch gilydd, mynd am dro, mynd am bryd o fwyd neu i'r sinema, neu hyd yn oed edrych drwy ambell albwm lluniau gyda'ch gilydd gadarnhau eich bodolaeth fel cwpl. Gall mwynhau rhai o'ch hoff weithgareddau a diddordebau hefyd roi hwb i'ch hunan-barch a chynnig modd i gael gwared ar y rhwystredigaethau y mae'r ddau ohonoch chi'n eu teimlo yn sgil y salwch.

5

Pa driniaethau sydd ar gael?

Ar hyn o bryd, nid oes gwellhad i ddementia, ond mae rhai cyffuriau wedi eu datblygu'n benodol ar gyfer clefyd Alzheimer sy'n gallu gwella symptomau fel problemau â'r cof, crwydro ac ymddygiad ymosodol. Mae nifer o driniaethau a therapïau heb gyffuriau yn gallu gwella symptomau mathau eraill o ddementia, yn ogystal â chlefyd Alzheimer.

Cyffuriau ar gyfer clefyd Alzheimer

Mae dau brif fath o gyffuriau sy'n trin clefyd Alzheimer:

- atalwyr colinesteras (*cholinesterase inhibitors*) (atalwyr asetylcolinesteras)
- gwrthweithyddion derbyn NMDA (*N-methyl-D-asparate receptor antagonists*).

Atalwyr asetylcolinesteras – donepezil, rivastigmine (Exelon) a galantamine (Reminyl)

Atalwyr asetylcolinesteras yw'r enw ar y cyffuriau hyn. Maen nhw'n gweithio drwy rwystro cemegyn o'r enw asetylcolin rhag torri i lawr yn yr ymennydd. Mae crynhoad uwch o asetylcolin yn helpu i gynyddu'r cyfathrebu rhwng y celloedd nerfol sy'n ei ddefnyddio fel negesydd cemegol; mae hyn yn ei dro yn gallu gwella symptomau clefyd Alzheimer dros dro. Er bod y cyffuriau hyn yn gweithio yn yr un ffordd, gallai ambell un fod yn fwy addas i rai unigolion na'i gilydd. Ymgynghorydd sy'n gyfrifol am ddechrau'r driniaeth, felly dylai meddyg teulu gyfeirio'ch perthynas at yr ysbyty am brofion i gadarnhau a fyddai'r driniaeth hon yn briodol. Os yw'r driniaeth yn addas, bydd yr ymgynghorydd yn ysgrifennu'r presgripsiwn cyntaf ac ar ôl hynny, bydd eich meddyg teulu yn gallu rhoi presgripsiwn ar gyfer y cyffur.

Mae astudiaethau'n awgrymu bod symptomau rhwng 40 a 70 y cant o'r bobl â chlefyd Alzheimer sy'n defnyddio ataliwr asetylcolinesteras yn gwella. Mae'r cof, y meddwl a'r gallu i ganolbwyntio yn gwella, mae gan y person fwy o gymhelliant a hyder, a llai o orbryder. Mae gallu'r person i gyflawni tasgau yn y cartref, a gofal personol, yn gallu gwella, ac fe all fod yn fwy 'siarp' yn gyffredinol. Nid yw'r cyffuriau hyn yn effeithiol yn achos pawb, serch hynny, ac i rai, gwelliannau dros dro yw'r rhain.

Yn sgil yr ymgyrch 'Access to Drugs' gan yr Alzheimer's Society a'i chefnogwyr a'i gwirfoddolwyr, cyhoeddodd NICE (*National Institute for Health and Care Excellence*) ganllawiau diwygiedig yn 2011 yn argymell y dylai pobl â chlefyd Alzheimer (neu ddementia cymysg lle mae clefyd Alzheimer yn brif achos) gael mwy o hawl i gael cyffuriau gan y GIG. Mae canllawiau NICE a'r AWMSG (*All Wales Medicines Strategy Group*) yn argymell y dylai donepezil, rivastigmine neu galantamine gael eu cynnig fel rhan o ofal y GIG am bobl â chlefyd Alzheimer ysgafn i gymedrol. Mae tystiolaeth dda (yn enwedig yn achos donepezil) i ddangos bod y cyffuriau hyn hefyd yn helpu pobl â chlefyd Alzheimer mwy difrifol.

Rhoddwyd cyffur gwrth-ddementia i Bob cyn gynted ag y cafodd ddiagnosis o glefyd Alzheimer yn 2004, cyn i ganllawiau NICE newid.

Ro'n i'n 66 oed pan ges i'r diagnosis, a do'n i ddim yn dda o gwbl. Roedd fy nghof i mor wael, ro'n i'n methu mynd mas o'r tŷ ar fy mhen fy hun oherwydd byddwn i'n anghofio sut i ddod adre. Allwn i ddim gwylio ffilm ar y teledu oherwydd ro'n i'n methu dilyn y plot – byddwn yn gyrru fy ngwraig yn hurt oherwydd roeddwn i'n gorfod gofyn beth oedd yn digwydd drwy'r amser. A byddwn i'n cymryd wythnos i ddarllen tudalen mewn llyfr oherwydd ro'n i'n gorfod dechrau o'r dechrau o hyd. Roedd y ddau ohonon ni'n gwybod bod rhywbeth o'i le, felly dyma ni'n mynd i weld y meddyg gyda'n gilydd. Fe wnaeth y meddyg brofion cyn dweud beth ro'n i'n ofni y byddai'n ei ddweud – roedd clefyd Alzheimer arna i. Ond dyma fe'n rhoi Exelon i fi ar uwnaith, ac o fewn ychydig wythnosau ro'n i'n teimlo fel person newydd. Roedd fel petawn i'n gallu gweld y niwl yn codi o fy ymennydd. Dechreuodd pethau wneud synnwyr unwaith eto; gwnaeth hyn wahaniaeth mawr. Yn ffodus, oherwydd fy mod i wedi cael presgripsiwn ar gyfer y tabledi cyn i'r canllawiau newid, rwy'n dal i'w cael nhw dan y GIG – allen i ddim fforddio'u prynu nhw'n breifat. Rwy'n gwybod nad ydw i wedi gwella'n llawn, ond ar hyn o bryd, rwy'n gallu ymdopi â'r cyflwr. Rwy'n gallu mynd i siopa, gwylio ffilm a hyd yn oed ddarllen llyfr heb orfod mynd yn ôl i fy atgoffa fy hun o beth sydd wedi digwydd. Alla i ddim dychmygu sut fyddai hi arna i petawn i ddim yn cymryd y tabledi.

Gwrthweithyddion derbyn NMDA – memantine (Ebixa, Maruxa, Nemdatine)

Mae Ebixa'n atal glwtamad rhag gweithio. Negesydd cemegol yw hwn ac mae llawer iawn ohono'n cael ei ryddhau pan fydd clefyd Alzheimer wedi difrodi celloedd yr ymennydd. Mae'r lefelau uchel hyn o glwtamad yn gwneud rhagor o niwed i gelloedd yr ymennydd. Mae Ebixa'n rhwystro hyn rhag digwydd drwy atal rhyddhau gormod o glwtamad. Mae canllawiau 2011 NICE yn argymell memantine (Ebixa) fel rhan o ofal y GIG ar gyfer clefyd Alzheimer difrifol, ac i bobl â chlefyd Alzheimer cymedrol sy'n methu goddef y cyffuriau colinesteras ataliol oherwydd y sgileffeithiau. Dros dro, mae memantine yn gallu arafu symptomau clefyd Alzheimer yn y cyfnod canol i'r cyfnod diweddar, sy'n cynnwys dryswch ac anawsterau gyda gweithgareddau pob dydd. Efallai y bydd yn gallu helpu hefyd gyda symptomau fel rhithdybiau, ymddygiad ymosodol a chynnwrf meddyliol.

Sgileffeithiau

Nid oes llawer o sgileffeithiau wedi'u cofnodi ar gyfer unrhyw un o'r cyffuriau hyn; mae'n debyg eu bod nhw i gyd yn cael eu goddef yn lled dda. Os oes sgileffeithiau gydag Aricept, Exelon neu Reminyl, y rhai mwyaf cyffredin yw cyfogi, dolur rhydd, crampiau stumog, cur pen, penysgafnder, diffyg cwsg a cholli archwaeth bwyd. Mae sgileffeithiau Ebixa yn cynnwys cur pen, penysgafnder, blinder, pwysedd gwaed uchel ac, yn bur anaml, rhithweledigaethau a dryswch. Efallai na fydd Ebixa yn addas i bawb, yn enwedig i rywun â phroblemau gyda'r arennau neu'r galon, neu epilepsi.

Atal cyffuriau

Os yw rhywun wedi bod yn cymryd y cyffuriau yma ac yna'n rhoi'r gorau iddyn nhw, bydd ei gyflwr yn dirywio dros y pedair neu'r chwe wythnos ganlynol. Bydd y symptomau'n dychwelyd yn raddol neu'n gwaethygu nes iddyn nhw ddechrau effeithio ar y person yn union fel pe na bai wedi bod yn cymryd y cyffur o gwbl. Os yw eich perthynas yn dymuno peidio â chymryd y cyffuriau presgripsiwn, oherwydd sgileffeithiau sy'n achosi pryder, efallai, dylech ei annog i drafod â'r meddyg yn gyntaf – efallai fod ateb syml i'r broblem.

Cyffuriau ar gyfer mathau eraill o ddementia

Mae callawiau NICE yn argymell cynnig ataliwr colinesteras i rywun â dementia cyrff Lewy neu glefyd Parkinson os oes ganddo symptomau sy'n achosi gwewyr (er enghraifft, rhithweledigaethau) neu os yw'n dangos arwyddion o ymddygiad heriol (fel cynnwrf meddyliol neu ymddygiad ymosodol). Yn wir, mae rivastigmine wedi ei drwyddedu ar gyfer hyn. Mae ymchwil yn parhau i archwilio pa mor effeithiol mae'r cyffuriau hyn yn trin dementia fasgwlar, ond nid oes llawer o fanteision yn ôl pob golwg, heblaw ar gyfer pobl sydd â chlefyd Alzheimer yn ogystal â dementia fasgwlar.

Cyffuriau eraill posibl

Ar y cyfan, mae pawb yn cytuno y dylai rhywun â dementia gymryd cyn lleied o gyffuriau â phosibl, ond os bydd yn datblygu problemau fel ymddygiad ymosodol, gorbryder difrifol neu aflonyddwch, neu symptomau seiciatrig fel rhithweledigaethau neu rithdybiau, mae'n bosibl y gallai rhyw fath o feddyginiaeth fod yn addas. Cyn ystyried y dewis yma, mae'n bwysig ceisio darganfod achos sylfaenol y broblem. Os yw'ch perthynas yn orbryderus, yn aflonydd neu'n ymddwyn yn ymosodol, a allai rheswm corfforol fod yn gyfrifol am hynny? Efallai ei fod mewn poen neu'n anghysurus oherwydd anaf, haint neu gyflwr meddygol arall nad oes neb wedi sylwi arno hyd yn hyn? Gall rhywbeth mor syml ag ewin sy'n tyfu i'r byw neu bothell achosi cryn dipyn o boen, a gall unrhyw boen neu salwch sydd heb ei drin effeithio ar ymddygiad y person. A yw'r clyw neu'r llygaid yn achosi trafferth? Mae methu clywed yn iawn yn gallu gwneud i bobl â dementia fod yn fwy dryslyd nag arfer a gall golwg gwael fod yn rhannol gyfrifol am achosi rhithweledigaethau. Os yw'ch perthynas yn methu egluro'r problemau hyn, mae'n ddigon posibl camddehongli ei ymddygiad a'i hwyl. Dylech archwilio'r posibiliadau yma i gyd a'u trin yn ôl yr angen cyn ystyried unrhyw feddyginiaethau eraill.

Iselder

Mae iselder yn salwch difrifol mae angen ei drin. Mae nifer o ffactorau sy'n gallu gwneud i rywun deimlo'n isel. Gall y rhain gynnwys profedigaeth neu golled arall, newidiadau mawr mewn bywyd fel ymddeol neu symud tŷ, pryderon ariannol, problemau gyda pherthynas neu broblemau teuluol, sgileffeithiau cyffuriau, unigrwydd, teimlo'n ynysig, neu ddiflastod. Yn achos rhywun â dementia, gallai'r rhestr hon hefyd gynnwys gofidio am golli cof ac ofni'r dyfodol, yn ogystal â newidiadau cemegol yn yr ymennydd mae'r dementia yn eu hachosi.

Mae iselder yn gyffredin iawn ymysg yr henoed ac mae'r cyflwr yn fwy tueddol o effeithio ar rai â dementia. Gall diagnosis fod yn anodd, yn enwedig gan fod y symptomau mor debyg i rai dementia, sy'n golygu y gall pobl â dementia gael camddiagnosis o iselder weithiau, gyda phobl ag iselder yn cael diagnosis anghywir o ddementia. Mae dementia ac iselder yn gyflyrau sy'n gallu effeithio ar allu pobl i egluro'u teimladau, gan wneud sicrhau diagnosis cywir yn fwy anodd byth. Serch hynny, drwy arsylwi'n fanwl, dylech allu sylwi ar y gwahaniaethau rhwng iselder a dementia. Er enghraifft, efallai y bydd rhywun ag iselder yn cwyno'i fod yn anghofus, ond fel arfer gall gofio pethau wrth brocio'r cof ychydig, ond bydd rhywun â dementia'n fwy tebygol o drio cuddio'i anghofrwydd. Er bod rhywun ag iselder difrifol yn gallu ymddangos yn ddryslyd o ganlyniad i ddiffyg canolbwyntio, anaml iawn y bydd yn cael problemau difrifol wrth siarad a rhesymu a gyda synnwyr cyfeiriad ac amser, ond bydd rhywun â dementia'n cael anawsterau mawr gyda'r rhain. Gall iselder difrifol effeithio ar resymeg a'r cof, ond pan fydd yr iselder yn gwella neu'n cael ei drin, mae'r symptomau'n diflannu a gallu'r person i resymu a chofio'n cael ei adfer. Nid yw hyn yn digwydd yn achos dementia.

Mae gweld rhywun yn dioddef o iselder o ganlyniad i ddementia yn beth digon cyffredin. Ar y dechrau, fe allai hyn fod yn ymateb i'r diagnosis o ddementia neu'n digwydd oherwydd newidiadau cemegol yn yr ymennydd. Beth bynnag yw'r achos, mae'n golygu y bydd y person yn gorfod wynebu dau gyflwr sy'n effeithio ar ei fywyd. Mae iselder yn gallu gwneud symptomau dementia'n waeth, gan achosi iddo ymddangos yn fwy dryslyd, pryderus, anghofus neu dawedog, neu gall achosi cynnwrf meddyliol, aflonyddwch a hyd yn oed ymddygiad ymosodol.

Os ydych yn amau y gallai ymddygiad eich perthynas fod yn arwydd o iselder, neu os yw'n edrych yn debyg fod symptomau'r dementia'n gwaethygu'n gyflymach na'r disgwyl, siaradwch â'ch meddyg teulu cyn gynted â phosibl. Efallai fod achosion eraill, fel salwch, haint neu sgileffeithiau cyffuriau, ac mae angen ymchwilio i'r rheini'n gyntaf cyn sicrhau diagnosis. Yn ogystal â gwneud archwiliad corfforol, mae'n debyg y bydd y meddyg teulu'n siarad â'ch perthynas, yn ogystal ag â chithau a gofalwyr neu berthnasau eraill, ynglŷn â'r newidiadau yn ei ymddygiad neu yn ei hwyliau. Mae'r symptomau'n amrywio'n fawr iawn o'r naill i'r llall, ond gallai'r meddyg ofyn cwestiynau fel, a yw'ch perthynas:

- yn ymddangos yn swrth neu'n ddiegni?
- yn fwy gorbryderus neu gynhyrfus nag arfer?
- yn ddagreuol yn aml?
- yn deffro'n gynnar neu'n cael trafferth cysgu?
- yn cysgu mwy neu lai nag arfer?
- yn ymddangos fel petai'n methu profi pleser neu fwynhad?
- yn sôn ei fod yn teimlo'n drist, yn ddigalon neu'n anobeithiol?
- yn bwyta llai nag arfer?
- wedi colli diddordeb yn ei ffrindiau, ei berthnasau ac mewn gweithgareddau cymdeithasol y byddai'n eu mwynhau fel arfer?

Pa driniaethau sydd ar gael?

Mae triniaethau ar gyfer iselder yn cynnwys therapïau seicolegol, cyffuriau gwrthiselder a chefnogaeth gymdeithasol. Os nad yw symptomau iselder neu bryder yn rhy ddifrifol, efallai na fydd angen triniaeth ffurfiol, fel cyffuriau neu gynghori. Mewn rhai achosion, bydd hwyliau'r person yn gwella gyda rhagor o gefnogaeth a sylw. Os yw'ch perthynas yn teimlo'n fregus ac yn bryderus ynglŷn â'r dyfodol, efallai y bydd ei gysuro a sgwrsio neu ddal dwylo'n gyfeillgar yn ddigon. Gall mân newidiadau yn y drefn ddyddiol helpu hefyd: gwybod y bydd rhywun yn galw bob dydd, er enghraifft; gweithgareddau fel mynd am dro; neu ddim ond cael trefn i'r diwrnod sy'n rhoi mwy o gysur iddo.

Os yw'r dementia yn ei ddyddiau cynnar, gallai ymyriadau seicolegol fel cynghori neu therapi ymddygiad gwybyddol (CBT: *cognitive behaviour therapy*) fod yn addas, o bosibl ochr yn ochr â chyffuriau gwrthiselder.

- Cynghori – mae sawl math gwahanol o gynghori, a gall eich meddygfa leol drefnu rhai o'r rhain. Trafodwch y gwahanol fathau o gynghori sydd ar gael â'ch meddyg teulu, ac a fydden nhw'n addas i'ch perthynas.
- Therapi ymddygiad gwybyddol – gall iselder, hwyliau gwael neu ofid ddigwydd weithiau o ganlyniad i ffyrdd penodol o feddwl. Mae CBT yn gweithio drwy adnabod y meddyliau negyddol hyn a helpu'r

person i addasu ei batrymau meddwl i fod yn llai negyddol. Mae triniaeth CBT yn aml ar gael gan y GIG.

- Grwpiau cefnogi – mae nifer o bobl yn cael llawer o gysur a chymorth wrth siarad â phobl yn yr un sefyllfa â nhw. Cysylltwch â'ch cangen leol o'r Alzheimer's Society am fanylion grwpiau cefnogi dementia lleol.

Cyffuriau gwrthiselder

Yn gyffredinol, mae cyffuriau gwrthiselder yn feddyginiaeth ddiogel ac yn driniaeth effeithiol ar gyfer iselder, ddim ond i'r meddyg gadw golwg fanwl ar y driniaeth ac i'r claf gymryd y feddyginiaeth yn unol â'r cyfarwyddiadau. Mae'r rhan fwyaf o'r problemau a gofnodir yn sgil y math yma o driniaeth yn digwydd oherwydd bod y dos yn rhy isel, nad yw'r person yn cymryd y cyffur yn gyson neu am gyfnod digon hir, neu oherwydd bod y feddyginiaeth yn cael ei hatal yn rhy sydyn.

Os bydd eich perthynas yn cael cyffuriau gwrthiselder, triwch sicrhau ei fod yn eu cymryd yn rheolaidd, yn unol â'r presgripsiwn. Gall gymryd pythefnos neu dair wythnos i'r cyffuriau ddechrau gweithio, ac efallai y bydd sgileffeithiau wrth i'r corff addasu, ond fel arfer mae'r rhain yn setlo'n gymharol gyflym. Dylai'r meddyg gadw golwg fanwl iawn ar y driniaeth ar y dechrau rhag ofn bod angen addasu'r dos neu newid y math o gyffur a ddefnyddir. Fel arfer, yr argymhelliad yw cymryd cyffuriau gwrthiselder am o leiaf chwe mis ar ôl i'r claf ddangos symptomau iselder ddiwethaf. Mae rhai arbenigwyr yn dweud y dylid eu cymryd am gyfnod hirach – naw mis i flwyddyn – i leihau'r perygl o'r symptomau'n dod yn ôl. Wrth orffen cymryd cyffuriau gwrthiselder, dylid lleihau'r dos yn raddol dros rai wythnosau; gall peidio â'u cymryd yn sydyn achosi i'r symptomau ymddangos eto.

Mae nifer o fathau gwahanol o gyffuriau gwrthiselder, a bydd rhai pobl yn gweld nad yw'r math cyntaf y maen nhw'n ei gael yn gweithio. Bydd rhai'n rhoi cynnig ar ddau neu dri math neu frand gwahanol cyn dod o hyd i'r un mwyaf effeithiol iddyn nhw. Mae rhai cyffuriau gwrthiselder y gellir eu cael ar bresgripsiwn yn cynnwys cyffuriau SSRI (selective serotonin re-uptake inhibitors), sy'n cael eu defnyddio'n eang ac yn effeithiol gan nifer mawr o bobl. Gall sgileffeithiau fod iddyn nhw, ond mae'r rhain yn tueddu i gael eu goddef yn well na'r rheini sy'n digwydd o ganlyniad i gyffuriau gwrthiselder eraill. Dyma rai SSRIs cyffredin: Prozac, Seroxat, Cipramil, Faverin a Lustral. Gall doctor roi mathau eraill o gyffuriau gwrthiselder ar bresgripsiwn i rywun â dementia. Efallai y byddwch yn meddwl tybed pam nad yw'r meddyg wedi cynnig presgripsiwn ar gyfer mathau eraill o gyffuriau gwrthiselder, fel rhai trichylchol neu MAOIs (*monoamine oxidase inhibitors*). Er eu bod nhw'n gyffuriau iselder effeithiol, ni fyddai'r cyffuriau hynny'n addas i rywun â dementia. Mae sgileffeithiau trafferthus yn gallu dod yn sgil cyffuriau gwrthiselder trichylchol, fel Lentizol, Tofrinol, Dothiepin a Prothiadenor. Mae'r sgileffeithiau hyn yn cynnwys anhawster gweld yn iawn a'r pwysedd gwaed yn disgyn, ac maen nhw hefyd yn gallu achosi dryswch hyd yn oed mewn pobl hyn sydd heb ddementia. Yn achos MAOIs, mae'n bwysig dilyn deiet llym, sy'n golygu nad ydyn nhw'n addas ar gyfer pobl â dementia. Serch hynny, mae un MAOI o'r enw Manerix nad yw'n gofyn am gyfyngu ar ddeiet, ac mae peth tystiolaeth yn awgrymu y gallai'r cyffur hwn fod yn ddefnyddiol yn achos pobl sydd â'u gallu gwybyddol yn dirywio.

Aflonyddwch, ymddygiad ymosodol a phroblemau ymddygiad

Fel yn achos iselder, mae'n bosibl trin y symptomau hyn fel arfer drwy ryngweithio cymdeithasol, cymorth a sylw ychwanegol neu ddulliau seicolegol sydd wedi eu cynllunio i helpu i dawelu'r person. Gall y rhain gynnwys therapi cerddoriaeth (trowch at dudalen 51) neu therapi hel atgofion (trowch at dudalen 52). Dim ond ar ôl rhoi cynnig ar y dulliau hyn y dylid ystyried defnyddio cyffuriau, oni bai bod ymddygiad eich perthynas yn perygl ei iechyd ei hun a diogelwch ei deulu neu ei ofalwyr. Os oes rhaid cael cyffuriau, efallai y bydd y meddyg yn argymell cyffuriau gwrthseicotig (sydd hefyd yn cael eu galw'n dawelyddion neu niwroleptyddion). Gall y cyffuriau hyn leddfu ymddygiad ymosodol, ac i ryw raddau, symptomau seicotig fel rhithweledigaethau neu rithdybiau. Ar y cyfan, maen nhw'n cael eu rhoi am tua thri mis; fel arfer mae'n bosibl rhoi'r gorau iddyn nhw ar ôl hyn. Nid oes tystiolaeth i awgrymu bod y cyffuriau hyn yn gwella aflonyddwch na symptomau anymosodol eraill, na chwaith bod mantais sylweddol i'w cymryd dros gyfnodau hirach. Mae'r cyffur gwrthseicotig risperidon wedi'i drwyddedu i bobl â dementia. Ymysg cyffuriau gwrthseicotig cyffredin eraill mae aripiprazole, olanzapine, quetiapine a haloperidol. Mae eu sgileffeithiau'n cynnwys penysgafnder, tawelyddu eithafol, ansefydlogrwydd, arafwch, breichiau a choesau stiff, cwympo, heintiau ar y frest, pigyrnau'n chwyddo, a syrthio. Mae cyffuriau gwrthseicotig yn hynod beryglus i rai â dementia cyrff Lewy ac ni ddylid eu rhoi heblaw gyda'r gofal mwyaf, goruchwylio cyson ac adolygu parhaus gan feddyg neu ymgynghorydd. Trowch at Bennod 6 am gyngor cyffredinol ynglŷn â delio ag ymddygiad anodd.

Triniaethau heb gyffuriau a therapïau

Fel rydym ni wedi gweld eisoes, yr unig gyffuriau gwrth-ddementia sydd ar gael ar hyn o bryd yw'r rheini sy'n trin symptomau clefyd Alzheimer. Nid yw'r cyffuriau hyn yn gweithio bob tro ac mae'n bosibl mai dim ond yn ystod cyfnod cynnar neu gyfnod canol clefyd Alzheimer y byddwch yn gweld unrhyw effaith. Hyd yn oed os yw'ch perthynas yn ymateb yn dda i gyffuriau gwrth-ddementia, mae sawl dull arall heb gyffuriau a allai helpu wrth eu defnyddio ar y cyd â thriniaethau eraill. Y peth gorau i'w wneud yw trafod y triniaethau posibl a allai fod yn addas â'r meddyg teulu neu â'r ymgynghorydd.

Aromatherapi

Aromatherapi yw defnyddio olewau hanfodol persawrus i wella lles seicolegol a chorfforol, ac i roi hwb i'r hwyliau a'r gallu i ymlacio. Gallwch roi olewau mewn dŵr bath, eu hanadlu i mewn neu eu rhoi mewn dŵr a'u cynhesu mewn llosgwr olew i greu persawr pleserus. Yn aml mae olewau'n cael eu defnyddio wrth dylino'r corff. Caiff olewau eu cymysgu ag 'olew cludo' a'u tylino i mewn i'r croen. Mae olew lafant yn enwog am hybu'r gallu i ymlacio a helpu i gysgu. Dangosodd un astudiaeth fod defnyddio olew lafant ar ward ysbyty wedi cyfrannu at leihau cynnwrf meddyliol mewn cleifion. Mae'n rhaid bod yn ofalus bob amser wrth ddefnyddio olewau hanfodol, gan ddefnyddio'r cyfarwyddiadau'n ofalus. Dylid trafod ag aromatherapydd cymwys cyn eu defnyddio i helpu rhywun â dementia.

Mae rhywfaint o dystiolaeth yn awgrymu bod aromatherapi, gyda thylino neu hebddo, yn gallu helpu pobl â dementia i ymlacio. Gwelodd un astudiaeth, a oedd yn cymharu manteision aromatherapi a thylino, aromatherapi a sgwrs, a dim ond tylino, fod defnyddio aromatherapi a thylino yn gallu helpu'r rhai â dementia i grwydro llai. Mae rhai arwyddion y gallai fod gan aromatherapi rôl fwy arwyddocaol mewn trin clefyd Alzheimer. Awgrymodd ymchwil a ariannwyd gan y Sefydliad Iechyd Meddwl yn 2000 y gallai balm lemon helpu i atal colli'r cemegyn ymennydd, asetylcolin. Mae hyn yn awgrymu bod balm lemon yn gallu gweithio yn yr un ffordd â'r cyffuriau clefyd Alzheimer, Aricept ac Exelon. Mae rhagor o ymchwil wedi bod i falm lemon, a nifer o brofion gyda balm lemon ac olew lafant, sy'n dangos bod y triniaethau'n gallu helpu i leihau cynnwrf, diffyg cwsg, crwydro ac ymddygiad anghymdeithasol. Mae rhai treialon wedi dangos bod olew lafant yn gwella'r hwyliau a chwsg ac yn lleihau gorbryder. Mae profion eraill wedi defnyddio amrywiaeth o olewau, yn cynnwys lafant, mynawyd y bugail, mandarin, ylang ylang, patsiwli, rhosmari a phupur-fintys, gan ddarganfod eu bod nhw ar y cyfan yn cael effaith sy'n tawelu. Mae'r manteision yn cynnwys bod yn fwy effro, hwyliau gwell, cysgu'n well a llai o gynnwrf meddyliol ac ymddygiad trwblus. Mae'r Athro Elaine Perry, Athro Patholeg Niwrogemegol yn Ysbyty Cyffredinol Newcastle, yn gwneud rhagor o ymchwil, yn enwedig ymchwil i effaith aromatherapi ar bobl â chlefyd Alzheimer a chynnwrf meddyliol. Yr Alzheimer's Society sy'n ariannu'r ymchwil.

Aciwbigo

System feddyginiaeth Tsieineaidd yw aciwbigo sy'n anelu at symbylu gallu'r corff i wella'i hunan, drwy ddefnyddio nodwyddau mân mewn mannau penodol o gwmpas y corff. Mae athroniaeth Tsieineaidd draddodiadol yn ein dysgu bod salwch yn digwydd oherwydd anghydbwysedd yn llif egni naturiol y corff, sy'n cael ei alw'n qi neu chi. Drwy roi nodwyddau mân yn y sianeli egni, gall aciwbigydd ddod â'r cydbwysedd yn ôl, gan symbylu prosesau iacháu'r corff. Mae aciwbigo'n dod yn fwy a mwy poblogaidd yn y gorllewin, ac mae rhai meddygon yn credu ei fod yn lleihau tyndra mewn cyhyrau ac yn effeithio ar sut mae'r corff yn ymateb i boen.

Cafwyd nifer o astudiaethau yn edrych ar ddefnyddio aciwbigo fel triniaeth gyfatebol ar gyfer clefyd Alzheimer a dementia fasgwlar. Cafodd pob un o'r astudiaethau hyn ganlyniadau cadarnhaol, ond nid yw'r gwaith ymchwil yn cael ei ystyried yn un o safon arbennig. Dangosodd astudiaeth fach arall, a edrychodd ar ddefnyddio aciwbigo i drin gorbryder ac iselder mewn dementia, welliant yn y meysydd hyn yn ogystal â'r dirywiad meddyliol yn ymddangos fel petai'n arafu. Mae arbenigwyr yn dweud bod angen ymchwil mwy safonol i gadarnhau'r canlyniadau calonogol hyn. Am ragor o wybodaeth am aciwbigo, cysylltwch â'r British Medical Acupuncture Society (gweler Cyfeiriadau defnyddiol).

Therapi cerddoriaeth

Gyda'r math hwn o therapi bydd pobl â dementia yn chwarae offerynnau ac yn creu cerddoriaeth gyda cherddorion proffesiynol sydd wedi eu hyfforddi i ddefnyddio cerddoriaeth fel therapi. Dangosodd astudiaethau y gall therapi cerddoriaeth fod o les i nifer o grwpiau o bobl sy'n methu cyfathrebu yn y ffyrdd arferol. Yn achos pobl â dementia, credir bod therapi cerddoriaeth yn gallu arafu datblygiad y clefyd hyd yn oed. Un syniad yw eich bod yn helpu i gadw cysylltiadau'r ymennydd i weithio drwy symbylu'r ymennydd fel hyn, a lleihau'r duedd iddyn nhw ddirywio. P'un a yw'n helpu i wella ai peidio, mae'n amlwg bod y mwyafrif o bobl â dementia'n cael cryn bleser o'r therapi. Dangoswyd bod y rhai sydd â phroblemau difrifol gyda'u cof yn aml iawn yn cofio geiriau ac alawon y caneuon y maen nhw'n eu gwybod yn dda, a gall cydganu fel hyn fod yn weithgaredd pleserus sy'n eu symbylu.

O safbwynt cyfathrebu, gall cerddoriaeth a sain gyffwrdd rhywun ar lefel ddofn iawn, gan gynnig cysur a thawelwch meddwl, neu ddim ond gwneud i'ch perthynas deimlo'n hapus. Gall therapi ddigwydd mewn grwpiau neu un-i-un, gyda'r cerddor yn chwarae cerddoriaeth neu synau mae'ch perthynas yn eu mwynhau am hyd at 30 munud mewn ystafell dawel.

Gall y math hwn o therapi gynnwys 'sŵn gwyn', sy'n cael ei greu drwy gyfuno amleddau sain gwahanol, ac mae'r therapydd yn ei ddefnyddio i foddi synau eraill. Weithiau bydd yn cyfuno sŵn gwyn â synau naturiol sy'n tawelu, fel cân adar, tonnau'n torri ar draeth neu sŵn nant yn byrlymu.

Mae ymchwil mewn cartrefi gofal wedi dangos bod therapi cerddoriaeth neu sŵn gwyn yn gallu bod o les i bobl â dementia. Mewn un astudiaeth, defnyddiwyd y driniaeth i helpu i dawelu pobl a oedd yn gweiddi'n gyson. Dangosodd astudiaeth arall, pan fyddai therapi cerddoriaeth yn cael ei ddefnyddio yn lle tawelyddion, nad oedd y symptomau'n gwaethygu o gwbl.

Therapi golau llachar

Mae llawer o bobl â dementia yn teimlo'n fwy aflonydd a dryslyd erbyn diwedd y prynhawn ac yn gynnar fin nos. 'Syndrom y machlud' (*sundowning*) yw'r enw ar hyn a gall barhau drwy'r nos. Y gred yw bod hyn yn digwydd oherwydd problemau gyda 'chloc y corff' – y cylch biolegol o ddeffro a chysgu mae hormonau penodol yn ei reoli, yn cynnwys melatonin, yr hormon 'awydd cwsg'. Yn ystod tywyllwch, mae'r ymennydd yn rhyddhau llawer o felatonin i'n cadw ni i gysgu; gyda'r wawr, mae golau'n treiddio i'r ymennydd drwy'r retina gan rwystro cynhyrchu melatonin a symbylu rhyddhau hormonau 'deffro' a gweithgaredd. Os nad yw'r ymennydd yn cael digon o olau, mae hyn yn amharu ar gydbwysedd cloc y corff a'r holl batrwm cysgu. Mae therapi golau llachar yn sicrhau bod digon o olau ar gael ar yr adegau iawn er mwyn helpu i reoleiddio rhyddhau'r hormonau cysgu-deffro.

Mewn pobl â dementia, gall cynyddu lefelau'r golau helpu i atal syndrom y machlud yn ogystal â helpu gyda chysgu sy'n cael ei amharu. Gyda'r driniaeth hon, bydd y person yn eistedd o flaen bocs golau sy'n creu tua 30 gwaith yn fwy o olau na'r golau a geir mewn swyddfa gyffredin, am gyfnod penodol bob dydd, yn ôl ei anghenion a'i ymateb i'r driniaeth. Mae ymchwil wedi dangos canlyniadau addawol o safbwynt effaith y driniaeth ar aflonyddwch ac amharu ar gwsg mewn pobl â dementia.

Therapi hel atgofion

Er ei bod hi'n anodd i bobl â dementia greu a storio atgofion newydd, yn aml maen nhw'n gallu cofio digwyddiadau o'r gorffennol yn hynod o glir. Mae therapi hel atgofion yn annog pobl â dementia i gofio profiadau a digwyddiadau'r gorffennol a'u trafod. Gall hyn ddigwydd yn unigol neu fel rhan o grŵp ac mae'n weithgaredd y gallwch ei wneud yn rhwydd yn y cartref yn ogystal ag mewn sefyllfa gofal dydd neu ofal preswyl. Gall defnyddio pethau i brocio'r cof, fel ffotograffau, hen gylchgronau neu bapurau newydd, clipiau fideo, cerddoriaeth neu recordiadau sain eraill fod yn ddefnyddiol i ddechrau sgwrs, ac fe allai cyflwyno arogleuon, blasau neu ddeunyddiau penodol helpu hefyd. Gallai rhoi cofnod mwy parhaol at ei gilydd fod yn ddefnyddiol a phleserus, er enghraifft llyfr stori bywyd neu focs atgofion (trowch at dudalen 53).

Cafwyd nifer o astudiaethau yn edrych ar fanteision posibl therapi hel atgofion, ac er bod rhai o'r rhain yn awgrymu y gallai'r therapi wella gwybyddiaeth, adalw a chyfathrebu, yn ogystal â lleihau hwyliau isel ac iselder, daeth astudiaethau eraill i'r casgliad nad oedd llawer o welliant, os oedd gwelliant o gwbl. Serch hynny, nid oes amheuaeth bod y gweithgaredd yn un pleserus i bobl â dementia, eu teuluoedd a'u gofalwyr. Gall hefyd helpu aelodau'r teulu, gofalwyr a staff gofal i ddeall y person yn well, a hwyluso darparu gofal penodol i weddu iddo. Gwelodd sawl astudiaeth mewn cartrefi gofal bod therapi hel atgofion wedi arwain at gynnydd yng ngwybodaeth staff, a hyn yn ei dro yn cynyddu cymhelliant. Mae ymchwilwyr hefyd wedi nodi lleihad sylweddol yn yr hyn a elwir yn 'straen gofalwyr'.

Gall hel atgofion gyda rhywun â dementia fod yn brofiad boddhaus i'r teulu cyfan, yn arbennig aelodau iau'r teulu a allai fod wedi'i chael hi'n anodd cyfathrebu â'u perthynas hŷn, yn enwedig ar ôl iddo gael dementia. Drwy gyfweld â'r un â dementia am ei fywyd a hyd yn oed recordio'r sgwrs honno ar fideo neu dâp neu ddisg sain, gall aelodau'r teulu weld heibio'r dementia a dod o hyd i gysylltiad mwy dwys â'u perthynas, yn ogystal â dysgu mwy am hanes y teulu. Er ei bod hi'n iawn i chi brocio meddwl eich perthynas os yw'n colli ei ffordd, cofiwch mai'r hyn mae'n ei gofio sy'n bwysig. Felly, os yw'ch perthynas yn cael trafferth, trafodwch rywbeth arall cyn dod yn ôl at y pwnc hwnnw'n ddiweddarach. Cofiwch hefyd nad yw pob atgof yn un hapus ac efallai y bydd cofio rhywbeth trist neu amhleserus yn achosi gwewyr meddwl. Bydd angen cynnig cysur yn y fath sefyllfa a chyfle i drafod teimladau yn hytrach na newid y pwnc. Fel arfer bydd atgofion melysach yn dod i'r meddwl yn ddigon buan.

Creu llyfr stori bywyd a bocs atgofion

Gall helpu'ch perthynas i greu llyfr stori bywyd a/neu focs atgofion fod yn weithgaredd pleserus i'r ddau ohonoch. Gallwch ychwanegu ato dros amser, a hyd yn oed pan nad oes dim mwy i'w ychwanegu, bydd yn parhau i symbylu ac i brocio'r cof i dynnu sgwrs.

Llyfr stori bywyd

Mae hwn yn union yr un fath â llyfr lloffion, ond mae'n fwy penodol ac yn cynnwys lluniau. Dechreuwch gyda chyflwyniad, a allai gynnwys llun o'ch perthynas pan oedd yn fabi, llun o'r tŷ lle cafodd ei fagu, ei ysgol gyntaf ac enwau ei ffrindiau. Gall y naill neu'r llall ohonoch wedyn ysgrifennu nodiadau o gwmpas y lluniau: 'Cefais fy ngeni ar ...', 'Enw fy rhieni oedd ...', 'Roeddem ni'n byw yn ...', ac ati. Wrth adeiladu ei stori ei hun, efallai y bydd ambell bennawd yn ei helpu i gofio a dod o hyd i ffotograffau addas. Trïwch ddefnyddio penawdau fel:

- fy nheulu, fy ffrindiau (gallai'r penawdau hyn fod mewn sawl man yn y llyfr, wrth i aelodau newydd o'r teulu gael eu geni ac i ffrindiau fynd a dod)

- y blynyddoedd cynnar
- dyddiau ysgol
- byd gwaith
- dyddiau arbennig
- mannau arbennig
- pethau arbennig.

Peidiwch â rhuthro'r broses – gall cofio'i swydd gyntaf arwain at stori hir am y bobl yr oedd yn gweithio gyda nhw, y mannau yr ymwelodd â nhw, llwyddiannau a methiannau. Gadewch iddo hel atgofion a pheidiwch â rhuthro at y pwnc nesaf. Gallai'r llyfr gymryd oriau lawer iawn i'w greu, ond bydd yn arwain at lawer mwy o oriau o bleser, wrth ei greu ac ar ôl hynny.

Bocs atgofion

Defnyddiwch focs storio neu hen focs esgidiau. Addurnwch y bocs ar y tu allan i wneud iddo edrych yn arbennig cyn ei lenwi ag eitemau a fydd yn gymorth i brocio'r cof. Gallai'r rhain fod yn eitemau o arwyddocâd personol, fel medalau, rhywbeth o ddiwrnod ei briodas, hen dun tybaco, llythyr neu docynnau i'r theatr, neu'n bethau mwy cyffredinol a fydd yn procio atgofion o gyfnod cynharach – er enghraifft, hen gylchgronau neu bapurau newydd, pecynnau bwyd a thuniau, offer coginio, darnau tsieni i ddathlu achlysuron pwysig, ac ati. Gall eitemau o gyfnod y rhyfel fel llyfrau dogni a masgiau nwy symbylu sawl stori. Eto, gallwch ychwanegu pethau at y bocs dros gyfnod o amser. Gofynnwch i ffrindiau ac i aelodau eraill y teulu feddwl am eitemau a allai fod yn ddefnyddiol.

Efallai y byddai'n syniad neilltuo amser penodol bob wythnos i hel atgofion. Fe fyddwch yn gallu synhwyro faint o amser sy'n addas i'w dreulio'n gwneud hynny yn ddigon buan, ond gadewch i'ch perthynas gymryd ei amser a synhwyrwch pryd y bydd yn dechrau blino neu'n colli diddordeb.

6

Bod yn ymarferol – y cof ac ymddygiad

Pan fydd dementia ar rywun rydych chi'n ei garu, mae nifer mawr o bethau i'w hystyried, fel y gwelwyd eisoes – materion cyfreithiol, materion ariannol, sut rydym ni'n sôn am y cyflwr, sut rydym ni'n teimlo ynglŷn â'r hyn sy'n digwydd, ac ati. Ond yn ystod dyddiau cynnar y salwch, mae'n hawdd anwybyddu'r problemau ymarferol, cyffredin y bydd yn rhaid eu hwynebu maes o law. Byddwch chi'n dweud 'Iawn, mae'n fwy anghofus, ond mae ei gof yn dal yn weddol.' Neu 'Falle fod Mam yn ei hailadrodd ei hun, ond 'dyw hi ddim wedi dechrau ymddwyn mewn ffordd ryfedd na brawychus.' Neu 'Mae'n wir, roedd Dad mas yn yr ardd braidd yn hwyr neithiwr, ond 'dyw e ddim wedi dechrau "crwydro" – ddim mewn gwirionedd.' Y gwir yw: mae ymddygiad fel hyn yn debygol o fod yn broblem yn y pen draw, ac os gallwch chi feddwl amdano a chynllunio ymlaen llaw cyn iddo ddechrau, mae'n bosibl y bydd rywfaint – a dim ond rhywfaint – yn haws delio â'r sefyllfa. Os oes dementia ar rywun sy'n agos atoch, mae paratoi ymlaen llaw yn hanfodol.

Ymdopi â cholli cof

Gall cof sy'n mynd o ddrwg i waeth fod yn un o'r symptomau amlwg cyntaf o ddementia. Mae anghofio ambell beth yn ddigon cyffredin wrth i ni heneiddio, ond yn achos rhywun â dementia, bydd hynny'n digwydd yn fwy cyson ac yn fwy difrifol, hyd yn oed os yw'n gallu cofio pethau'n weddol hwylus dan rai amgylchiadau. Pan fydd yr anghofrwydd yn dechrau achosi problemau o safbwynt bywyd pob dydd, gall fod yn achos pryder i'r un â'r salwch ac i'r rhai sy'n agos ato. Ymysg y problemau y gall eu hwynebu mae:

- methu cofio gwybodaeth newydd
- anghofio enwau neu fethu adnabod ffrindiau a theulu
- anghofrwydd cyffredinol
- byw yn y gorffennol.

Gwybodaeth newydd

Fel arfer mae hi'n anodd i bobl â dementia gofio gwybodaeth newydd. Mae hyn oherwydd bod y rhan o'r ymennydd sy'n prosesu gwybodaeth newydd wedi'i niweidio. Efallai y byddwch yn galw i fynd â'ch perthynas at y deintydd ac wedi dweud wrtho y bore hwnnw i fod yn barod ymhen awr. Nawr mae'n gwadu'n llwyr eich bod wedi sôn o gwbl am yr apwyntiad. Mae ei ymennydd wedi methu prosesu a storio'r hyn a ddywedoch chi, felly o'i safbwynt ef, mae'n union fel pe baech chi heb ddweud dim wrtho. Pan fydd hyn yn dechrau digwydd, mae'n syniad da cyflwyno unrhyw wybodaeth newydd fesul darn bach, syml ac ailadrodd popeth yn gyson.

Anhawster adnabod pobl

Efallai y bydd hi'n anodd i'ch perthynas gofio enwau pobl y mae wedi eu hadnabod ers blynyddoedd lawer, neu efallai na fydd yn adnabod ffrindiau a chymdogion. Ymhen amser, efallai na fydd yn adnabod teulu agos, neu hyd yn oed ei adlewyrchiad ei hun yn y drych. Yn naturiol, dyma sefyllfa ofidus i ffrindiau a pherthnasau gan eu bod nhw'n gallu teimlo fel petai'r perthynas yn eu gwrthod. Ond gall achosi gwewyr iddo yntau hefyd – efallai'i fod yn meddwl bod perthnasau neu ymwelwyr yn torri i mewn i'w gartref. Mae hyn yn gallu bod yn frawychus iawn. Trïwch gael hyd i ffyrdd i'w gysuro a thawelu ei feddwl. Er enghraifft, yn hytrach na gobeithio y bydd yn cofio neu ofyn a yw'n gwybod pwy yw rhywun, gallech ddweud rhywbeth tebyg i, 'Mae Siân, dy chwaer fach, wedi galw i dy weld di'.

Anghofrwydd cyffredinol

Gall hyn achosi anawsterau sylweddol o safbwynt bywyd pob dydd. Efallai y bydd eich perthynas yn anghofio ble mae wedi rhoi rhywbeth; gall fynd i siopa ac anghofio beth roedd wedi bwriadu ei brynu; efallai y bydd yn anghofio apwyntiadau meddygol ac ati; efallai y bydd yn anghofio bwyta neu'n anghofio ei fod wedi bwyta, hyd yn oed. Yn ystod dyddiau cynnar dementia, gall defnyddio adnoddau i'w atgoffa, fel nodiadau Post-it, rhestri, amseryddion neu larymau a chyfarwyddiadau ysgrifenedig clir, fod yn ddefnyddiol. Ond wrth i'r cyflwr waethygu, gall yr holl bethau i'w atgoffa ei ddrysu.

Roedd tad Lynne yn dal i yrru yn ystod dyddiau cynnar clefyd Alzheimer, ond dechreuodd ei gof achosi problemau'n fuan. Fel mae Lynne yn egluro:

Un bore, ffoniodd fi i ddweud bod ei gar wedi ei ddwyn o'r tu allan i'r tŷ. Erbyn i fi gyrraedd, roedd e wedi ffonio'r heddlu a hyd yn oed wedi cysylltu â'r cwmni yswiriant. Wedyn, dyma ni'n cael galwad ffôn gan yr heddlu ganol dydd i ddweud eu bod nhw wedi dod o hyd i'r car. Roedd ym maes parcio'r archfarchnad, lle'r oedd Dad wedi bod yn siopa'r diwrnod cynt. Roedd y drysau i gyd ar glo a'r tocyn parcio ar sgrin y car wedi hen ddod i ben. Roedd Mam wedi ei weld yn gyrru i ffwrdd y diwrnod blaenorol, ac yn tybio ei fod wedi dod â'r car adre eto, er iddi feddwl ei fod wedi bod yn hir iawn yn siopa am yr ychydig bethau oedd ar y rhestr. Fe ddaethon ni i'r casgliad felly mai anghofio bod y car ganddo wnaeth e, o bosibl am ei fod wedi parcio'r car ar un o lefelau uwch y maes parcio yn hytrach nag yn ei fan arferol ar y llawr isaf.

Ar ôl hynny, dechreuodd fynd â labeli gludiog a'r dyddiad arnyn nhw allan gydag e. Pan fyddai'n parcio'r car, byddai'n ysgrifennu'r lleoliad ar y label a'i lynu wrth allwedd y car. Fe weithiodd hynny'n dda iawn am ychydig fisoedd, ond daeth hi'n amlwg yn fuan iawn y byddai'n rhaid iddo roi'r gorau i yrru'n gyfan gwbl.

(Trowch at dudalen 20 am ragor o wybodaeth am yrru a dementia.)

Byw yn y gorffennol

Fel rydym ni wedi gweld, er ei bod hi'n mynd yn fwy a mwy anodd i bobl â dementia gofio beth ddigwyddodd ddoe neu bum munud yn ôl, mae eu cof tymor hir fel arfer yn dal i fod yn hynod dda. Maen nhw'n gallu cofio pethau a ddigwyddodd 50 mlynedd yn ôl yn rhyfeddol o glir a manwl. Gall hyn fod yn ddiddorol a difyr i'r rhai sydd yn eu cwmni ond fe allai achosi gwewyr mewn rhai amgylchiadau. Er enghraifft, os yw'r atgofion yn hynod fyw, efallai y bydd yn credu ei fod yn byw yn y cyfnod cynharach hwnnw nawr – efallai hyd yn oed mor bell yn ôl â chyfnod plentyndod. Efallai y bydd yn mynnu ei fod yn gorfod mynd i'r ysgol, neu y bydd ei fam neu ei dad-cu'n dod i'w weld cyn bo hir, er bod y rheini wedi eu hen gladdu. Os bydd hyn yn digwydd, y peth gorau i'w wneud fel arfer yw ceisio derbyn beth mae'n ei deimlo, yn hytrach na thrio egluro'r gwirionedd.

Dryswch

Dyma'r term sy'n cael ei ddefnyddio'n aml i ddisgrifio'r benbleth mae rhywun â dementia yn ei phrofi. Wrth i'r cyflwr ddirywio, bydd yr un â dementia'n teimlo'n fwy a mwy ar wahân ac yn gaeth mewn byd anghyfarwydd. Dyma ganlyniad problemau gyda'r cof a chyfathrebu, anawsterau o ran cysylltu ag amser a lleoliad a newidiadau mewn canfyddiad a dealltwriaeth. Yn naturiol, gall hyn fod yn frawychus ac achosi gwewyr, gan effeithio'n sylweddol ar hwyliau ac ymddygiad. Efallai y bydd eich perthynas yn teimlo'n orbryderus neu'n ofnus, neu hyd yn oed yn ddrwgdybus o bawb o'i gwmpas, gan eu cyhuddo o ddwyn eiddo neu gynllwynio i'w ladd, efallai.

I chi, fel perthynas, ffrind neu ofalwr, gall y fath sefyllfa fod yn hynod anodd. Gall cael eich ystyried yn elyn a chithau'n rhoi cymaint o'ch amser i'w gefnogi a'i helpu, deimlo'n anghyfiawn dros ben. Ond ar yr un pryd, rydych chi'n awyddus i'w gysuro ac i egluro'r byd gan drio gwneud i bopeth ymddangos yn llai brawychus, ond yn teimlo bod hynny bron yn amhosibl gan fod byd y ddau ohonoch chi bellach yn gwbl wahanol ac ar wahân. Yn aml, mae'r dryswch yn waeth pan fydd yn teimlo'n ansicr neu'n ofnus. Trïwch fod yn amyneddgar a chanolbwyntiwch ar ei deimladau yn hytrach na'r hyn y mae'n ei ddweud. Felly, os cewch chi'ch cyhuddo o ddwyn rhywbeth, er mai'r cyfan sydd wedi digwydd yw ei fod wedi anghofio ble mae wedi ei roi, peidiwch â gwastraffu amser yn ceisio egluro eich bod chi heb ei ddwyn: trïwch helpu i chwilio amdano gan ofalu ei fod yn teimlo'n ddiogel ac yn dawelach ei feddwl. Eglurwch y byddwch chi bob amser yn ei helpu i chwilio am bethau os yw'n methu cael hyd iddyn nhw.

Ymddygiad rhyfedd neu anarferol

Gall y newidiadau sy'n achosi dryswch i rywun â dementia fod yn gyfrifol hefyd am achosi ymddygiad anarferol sy'n gallu bod yn dân ar eich croen ac yn drafferthus. Ond os byddwch chi'n deall pam mae'ch perthynas yn ymddwyn mewn modd sydd yn aml yn heriol, efallai y bydd hi'n haws i chi gadw'ch pen a bod yn amyneddgar. Hyd yn oed os ydych chi'n llwyddo i gadw'ch pen, mae'n ddigon cyffredin i chi deimlo'n ofidus, dan straen ac yn rhwystredig oherwydd ymddygiad eich perthynas a gall hyn roi straen ar eich iechyd chi ac ar eich perthynas chi ag eraill. Mae'n bwysig iawn eich bod yn ystyried eich lles eich hun yn ogystal â lles eich perthynas, p'un a ydych chi'n brif ofalwr neu'n cefnogi'r prif ofalwr. Mae Pennod 10 yn trafod rhai o'r prif anawsterau wrth ofalu am rywun â dementia ac yn awgrymu ffyrdd o ymdopi. Ymysg y mathau mwyaf cyffredin o ymddygiad anarferol mae:

Ailadrodd sgwrs neu weithred

Yn aml, bydd rhywun â dementia'n ailadrodd ymadrodd, cwestiwn neu weithred, yn bennaf oherwydd nad yw'n cofio dweud neu wneud hynny o'r blaen. Ar y llaw arall, gall ymddygiad fel hyn ddigwydd oherwydd ei fod wedi diflasu, neu am ei fod yn teimlo'n orbryderus neu'n ansicr. Os bydd yn gofyn yr un cwestiwn dro ar ôl tro, trïwch ei annog i gael yr ateb drosto'i hun, os yw'n bosibl. Felly, os yw am wybod faint o'r gloch yw hi neu beth sydd ar y teledu, dywedwch wrtho am edrych ar ei oriawr neu droi'r teledu ymlaen. Yn aml, mae'r rhai â dementia yn teimlo'n bryderus ynglŷn â digwyddiadau sydd ar y gorwel, hyd yn oed os ydyn nhw'n rhai pleserus, fel ymweld â pherthynas neu fynd i lan y môr. Trïwch beidio â sôn am apwyntiadau, tripiau nac ymweliadau tan ychydig cyn i'r rheini ddigwydd; mae hyn yn golygu y bydd llai o amser ganddo i fod yn bryderus ac felly llai o amser i ailadrodd cwestiynau.

Os bydd rhywun yn gofyn drosodd a thro am gael mynd adref, gall hynny olygu ei fod yn teimlo'n orbryderus, yn ansicr neu'n anhapus. Efallai'i fod yn byw mewn cartref preswyl neu yn ei gartref ei hun, ond mae gofyn am fynd adref yn awgrymu nad yw'n teimlo mor ddiogel ag yr oedd. Gall y cysyniad o 'gartref' sbarduno atgofion am gyfnod pan oedd yn gysurus yn ei hunaniaeth ei hun, ac efallai'n mwynhau cefnogaeth a chariad aelodau o'r teulu sydd bellach wedi marw. Trïwch gydnabod ei deimladau a'i sicrhau ei fod yn ddiogel a'ch bod yn ei garu.

Gall gweithredoedd ailadroddus, fel symud pethau, pacio a dadbacio bag, llenwi a gwacáu cwpwrdd neu ffonio rhywun, fod yn gysylltiedig â rhywbeth roedd eich perthynas yn ei wneud cyn i'r salwch ddechrau, naill ai o ran gwaith neu hamdden. Defnyddiwch y weithred fel cyfle i drafod: holwch ynglŷn â'i hen swydd, ei ddiddordebau a'i fywyd o ddydd i ddydd. Weithiau, nid yw gweithredoedd neu symudiadau ailadroddus yn ddim byd ond arwydd o ddiflastod, felly trïwch ennyn ei ddiddordeb mewn gweithred neu sgwrs a gweld a yw hynny'n gwneud gwahaniaeth. Weithiau, gall gweithredoedd neu symudiadau ailadroddus ddynodi anesmwythyd. Efallai ei fod am fynd i'r tŷ bach, yn rhy boeth neu oer neu efallai mai eisiau bwyd neu ddiod sydd arno. Gallai'r symudiadau hefyd fod yn arwydd o boen neu salwch, neu'n sgileffaith meddyginiaeth, efallai. Cysylltwch â'r meddyg teulu i wirio hyn.

Aflonyddwch

Mae cerdded yn ôl ac ymlaen, gwingo neu fethu setlo yn gyffredin mewn dementia. Mae'n gallu digwydd oherwydd bod y person yn anghyfforddus mewn rhyw ffordd, felly gwnewch yn siŵr nad yw'n sychedig nac yn llwglyd, ac nad oes eisiau mynd i'r tŷ bach arno. Os yw'n tynnu ar ei ddillad, efallai fod y dilledyn hwnnw'n rhy dynn neu fod label yn ei boeni. Os nad oes dim byd allanol yn achosi'r broblem, gallech drio tynnu ei sylw drwy roi rhywbeth iddo'i wneud â'i ddwylo. Gall bocs yn cynnwys pethau diddorol dynnu ei sylw, neu fe allai cael rhywbeth i ffidlan ag ef, fel 'mwclis gofidiau' neu degan meddal, ei gysuro. Os yw'n mynnu cerdded yn ôl ac ymlaen, gwnewch yn siŵr fod ei esgidiau'n gyfforddus ac nad oes ganddo bothelli, chwydd neu gochni ar ei draed. Trïwch ei annog i gael seibiant bob hyn a hyn, efallai drwy gynnig diod neu fyrbryd iddo.

Deffro yn ystod y nos

Gall dementia effeithio ar 'gloc y corff' – y cylch 24 awr naturiol sy'n rheoli deffro a chysgu. Efallai y bydd eich perthynas yn codi yn ystod y nos, yn gwisgo amdano a hyd yn oed yn mynd allan. Yn naturiol, gall hyn achosi gofid a blinder i ofalwyr. Helpwch eich perthynas i gael noson dda o gwsg drwy ofalu ei fod yn cael digon o ymarfer corff yn ystod y dydd a'i fod wedi mynd i'r tŷ bach cyn mynd i'r gwely. Os yw'n cael trafferth mynd i gysgu, gallech ei helpu drwy fynd am dro byr, wedi'i ddilyn gan ddiod laethog a bath cynnes gydag ychydig o olew lafant yn y dŵr. Os bydd yn codi yn ystod y nos, atgoffwch ef ei bod hi'n nos o hyd a'i dywys yn dawel yn ôl i'r gwely.

Crwydro

Fel yn achos deffro yn ystod y nos, gall crwydro yn sgil dementia fod yn bryder mawr i ofalwyr. Mae nifer o resymau pam mae'n digwydd. Efallai'i fod wedi anghofio beth roedd yn ei wneud; efallai mai mynd i chwilio am rywun neu rywbeth o'r gorffennol yw'r bwriad; mae'n bosibl ei fod yn ansicr oherwydd newid lleoliad, er enghraifft symud i ofal preswyl; neu efallai ei fod wedi mwynhau cerdded erioed. Os yw'ch perthynas yn crwydro:

- cadwch ddyddiadur am wythnos neu ddwy i weld a oes rhywbeth penodol yn achosi ymddygiad fel hyn;

- rhwystrwch y crwydro drwy guddio drysau â llenni, a rhoi hetiau a chotiau o'r golwg;
- soniwch wrth gymdogion am y duedd i grwydro;
- gofalwch ei fod bob amser yn cario manylion cyswllt hawdd eu gweld: er enghraifft, cadwyn o gwmpas ei wddf neu freichled adnabod;
- ystyriwch wneud yr ardd yn lle diogel iddo grwydro y tu allan os oes angen.

Os bydd yn mynd ar goll:

- chwiliwch drwy'r tŷ, yr ardd, y garej, y sied a'r tai allan;
- rhowch wybod i'r cymdogion, a derbyniwch unrhyw gynigion o help i chwilio amdano;
- gofynnwch i rywun aros yn y tŷ rhag ofn iddo ddod yn ôl;
- os nad ydych chi'n llwyddo i ddod o hyd iddo'n gyflym, ffoniwch yr heddlu. Eglurwch ynglŷn â'r dementia, rhowch lun diweddar o'ch perthynas a disgrifiad o'r dillad sydd amdano.

Mae dementia fasgwlar gan Sheila, gwraig Bill. Doedd hi erioed wedi 'crwydro' fel y cyfryw, gan nad oedd hi erioed wedi mynd allan o'r tŷ ar ei phen ei hun, ond fe aeth hi ar goll unwaith tra oedden nhw'n siopa ar gyfer y Nadolig.

Mae Sheila wrth ei bodd yn siopa ar gyfer y Nadolig erioed. Ro'n ni wedi treulio'r bore'n siopa am anrhegion i'r wyrion ac ar fin mynd i gael cinio, felly efallai fod blinder a chwant bwyd yn rhannol gyfrifol. Un funud roedd hi'n sefyll nesaf ata i wrth i fi dalu am ein siopa, ond erbyn i fi dynnu 'ngherdyn mas o'r peiriant, roedd hi wedi mynd.

Do'n i ddim yn rhy bryderus ar y dechrau, oherwydd roeddwn i'n meddwl na allai hi fod wedi mynd yn bell iawn, ond roedd hi fel petai wedi diflannu'n llwyr. Holais rai o staff y siop amdani ond doedden nhw ddim wedi ei gweld hi, felly dyma fynd draw at adran ddiogelwch y ganolfan siopa er mwyn iddyn nhw allu gwneud cyhoeddiad dros yr uchelseinydd. Ro'n i'n siŵr y byddai rhywun yn dod o hyd iddi, ond doedd dim sôn amdani. (Aeth tipyn o amser heibio cyn i fi sylweddoli bod fy nisgrifiad ohoni'n anghywir – ro'n i wedi dweud mai anorac gwyrdd oedd ganddi er mai cot frown hir oedd amdani mewn gwirionedd!) Roedd y staff diogelwch yn hynod garedig, gan ffonio'r heddlu drosta i yn y pen draw. Roedd yr heddlu'n ystyried y mater yn un difrifol oherwydd bod Sheila'n perthyn i ddosbarth pobl 'fregus'.

Do'n i ddim eisiau gadael y ganolfan siopa, ond fe ddywedon nhw wrtha i am fynd adref a disgwyl rhag ofn y byddai hi'n dod 'nôl. Yn y diwedd, fe gyrhaeddodd hi adref yn ddiogel o'i rhan hi'i hun, ond roedd hi bron yn dywyll erbyn hynny a ro'n i bron allan o 'nghof gyda gofid. Roedd hi wedi bod ar goll am bron pedair awr. Roedd hi'n ddagreuol iawn pan gyrhaeddodd hi ac yn methu egluro beth oedd wedi digwydd na ble'r oedd hi wedi bod, ond heblaw am hynny a'i bod hi wedi blino, roedd hi'n iawn.

Fe es i mas y diwrnod wedyn a phrynu breichled a loced adnabod, gan ysgythru arni'r geiriau: Mae dementia arna i, ffoniwch … a rhoi tri rhif cyswllt. Does dim byd fel hyn wedi digwydd wedyn, ond petai'n digwydd, rwy'n teimlo'n hapusach o wybod bod y rhifau cyswllt hynny ganddi.

Eich dilyn chi o gwmpas y lle

Mae'ch perthynas sydd â dementia yn gallu bod yn dân ar eich croen pan mae'n eich dilyn o'r naill ystafell i'r llall, neu'n galw arnoch chi bob munud neu ddwy i weld ble rydych chi. Ond eto, y rheswm am hyn, yn fwy na thebyg, yw ei fod yn teimlo'n bryderus ac yn ansicr. Mae angen iddo wybod eich bod chi gerllaw er mwyn iddo allu teimlo'n ddiogel, a hyd yn oed os mai dim ond rhyw funud neu ddwy sydd wedi mynd heibio ers iddo'ch gweld chi ddiwethaf, efallai y bydd yn dod i chwilio amdanoch chi eto oherwydd ei fod yn methu cofio eich gweld. I'ch perthynas, mae munud yn gallu teimlo fel awr. Os oes gennych rywbeth y gallwch ei wneud o fewn golwg iddo, bydd yn teimlo dipyn yn fwy tawel ei feddwl. Ond os nad yw hyn yn bosibl, trïwch ei gadw'n brysur drwy roi tasg y gall ei gwneud ar ei ben ei hun neu weithgaredd y mae'n mwynhau ei wneud. Trïwch beidio â bod yn rhy lym eich tafod – mae ymddygiad fel hyn yn dreth fawr ar eich amynedd, ond gallai dangos eich rhwystredigaeth ei wneud hyd yn oed yn fwy pryderus.

Cuddio pethau

Yn aml, bydd pobl â dementia'n cuddio pethau heb reswm amlwg. Wedyn, fe fyddan nhw'n anghofio ble mae'r eitem, neu'n anghofio eu bod nhw wedi ei chuddio. Fel yn achos llawer o'r ymddygiadau rhyfedd eraill a welir mewn dementia, gall hyn fod yn digwydd oherwydd bod y person yn teimlo ar wahân ac yn anniogel. Mae cymryd rhywbeth cyfarwydd a'i roi mewn man dirgel yn deillio o'r awydd i ddiogelu pethau y mae'n eu deall ac i ddal ei afael arnyn nhw. Trïwch ddarganfod ble mae'n hoffi cuddio pethau er mwyn gallu ei 'helpu' i ddod o hyd i'r rhain pan fydd yn eu 'colli'. Os yw'n cuddio bwyd, chwiliwch yn y mannau hyn yn gyson, gan gael gwared, yn dawel bach, ag unrhyw beth sy'n debygol o ddechrau drewi. Fel erioed, hyd yn oed os yw ei ymddygiad yn eich gyrru'n benwan, trïwch fod yn dawel ac yn gysurlon.

Diffyg swildod

Weithiau bydd pobl â dementia'n ymddwyn yn anaddas neu mewn ffordd sy'n codi cywilydd ar y rhai o'u cwmpas. Yn aml, mae hyn oherwydd eu bod wedi anghofio rhai o reolau moesgarwch neu ddim ond wedi drysu ynglŷn ag ymddygiad addas. Weithiau, gall fod oherwydd niwed i ran benodol o'r ymennydd. Gall y math hwn o ymddygiad gynnwys:

- dadwisgo'n gyhoeddus – efallai y bydd eich perthynas yn dechrau dadwisgo am ei fod wedi anghofio mai ym mhreifatrwydd y cartref mae'n gwneud hyn fel arfer. Efallai ei fod yn dadwisgo oherwydd ei fod yn rhy boeth neu'n anghyffordffdus oherwydd ei fod wedi blino ac eisiau mynd i'r gwely, neu am fod eisiau mynd i'r tŷ bach arno. Trïwch ei arwain yn dawel i rywle preifat i ofyn beth sy'n bod.

- ymddygiad rhywiol anaddas – mae pobl â dementia yn dal i fod yn fodau rhywiol, ond gall y salwch niweidio'r rhan o'r ymennydd sy'n dweud wrthyn nhw beth sy'n addas o safbwynt ymddygiad rhywiol. Efallai y byddan nhw'n ymateb yn rhywiol i rywun heblaw am eu partner nhw eu hunain, neu'n dinoethi neu'n cyffwrdd â'u hunain yn rhywiol yn gyhoeddus. Os yw hyn yn digwydd, trïwch ei berswadio i beidio â gwneud hynny drwy dynnu ei sylw at rywbeth arall. Weithiau, nid oes dim byd rhywiol o gwbl wrth wraidd yr ymddygiad ond mae'n gallu ymddangos felly. Pan fydd eich perthynas yn cyffwrdd â sip ei drowsus neu'n codi ei sgert, er enghraifft, efallai mai dim ond arwydd bod angen mynd i'r tŷ bach yw hyn.

- ymddwyn yn anghwrtais tuag at eraill neu fod yn orgyfarwydd gyda dieithriaid – efallai y bydd eich perthynas yn rhegi, yn poeri, yn dweud pethau cas neu'n sarhau pobl, neu'n trio cofleidio neu gusanu rhywun hollol ddieithr. Eto, y peth gorau i'w wneud yw trio tynnu ei sylw yn hytrach na cheisio cywiro'r ymddygiad. Gyda thipyn bach o lwc, cewch gyfle i egluro mai'r salwch sy'n achosi'r broblem.

Mae Barbara yn gofalu am Jim, ei gŵr, gartref. Cafodd Jim ddiagnosis o glefyd Alzheimer dair blynedd yn ôl.

> Ar y cyfan, ry'n ni'n ymdopi'n dda iawn. Mae Jim yn dal i wneud tipyn o gwmpas y tŷ a'r ardd, ac mae'n gallu mynd am dro bach ar ei ben ei hun cyn belled â'i fod e'n mynd â'i ffôn gydag e. Mae wedi bod yn ddyn cymdeithasol iawn erioed ac mae'n mwynhau sgwrsio â ffrindiau a chymdogion, ond y broblem yw, mae'n ei chael hi'n anodd penderfynu a yw hi'n addas siarad â rhywun ai peidio, felly mae'n siarad â phawb fel petai yn eu hadnabod erioed. Weithiau 'dyw hynny ddim yn broblem ond gall fod yn anodd, er enghraifft, os bydd e'n dechrau siarad â phlant yn y parc neu â merched ifanc ar eu ffordd adref o'r ysgol. Roedd amser pan fyddai'n sylweddoli y gallai ei ymddygiad gael ei gamddeall ond 'dyw e ddim yn deall hynny erbyn hyn, ac mae wedi cael ei siomi weithiau gan ymateb pobl.
>
> Soniais am y broblem yn y grŵp gofalwyr rwy'n mynd iddo'n lleol (ry'n ni'n cyfarfod bob pythefnos i drafod sut mae pethau'n mynd ac yn rhannu cynghorion). Awgrymodd un o'r merched yno y byddai creu bathodyn i 'ngŵr i ei wisgo'n syniad. Do'n i ddim yn hoffi'r syniad ar y dechrau – ro'n i'n meddwl mai ei 'labelu' fyddai hynny – ond roedd ein merch yn hynod gefnogol o'r syniad a dywedodd Jim y byddai'n ddigon hapus i'w wisgo, felly dyma beth ddigwyddodd. Nawr mae'n gwisgo bathodyn sy'n dweud, 'Jim ydw i. Mae clefyd Alzheimer arna i, felly byddwch yn amyneddgar!' Mae hyn wedi gwneud cryn wahaniaeth yn lleol, oherwydd nid yn unig 'dyw e ddim yn codi ofn ar neb mwyach, mae pobl wedi bod yn hynod garedig wrtho. Gyrrodd rhywun e adre unwaith hyd yn oed, ar ôl iddo fynd ar goll oherwydd rhyw waith ar y ffordd. Efallai na fyddai'r syniad yn addas ar gyfer pawb, ond mae'n werth ei ystyried.

Gweiddi a sgrechian

Gall gweiddi a sgrechian fod yn ganlyniad poen neu salwch, felly dylech ymchwilio i hyn gyntaf, oherwydd fe allai dementia ei gwneud hi'n amhosibl i'ch perthynas ddweud wrthych chi sut mae'n teimlo. Yn aml, serch hynny, mae sgrechian a gweiddi'n deillio o ofn a/neu ddryswch. Efallai ei fod yn dioddef o rithweledigaethau neu broblemau eraill wrth amgyffred yr hyn y mae'n ei weld – gall fod yn anodd i rai pobl â dementia ddygymod â charpedi patrymog, er enghraifft, am eu bod nhw'n methu gweld patrwm syml ar arwynebedd gwastad. Os yw'r sgrechian yn digwydd yn ystod y nos, mae'n bosibl bod cysgodion neu siapiau penodol yn edrych yn frawychus yn y tywyllwch.

Rhowch olau nos bach yn yr ystafell i'w gysuro. Os yw'n galw ar rywun o'r gorffennol, trïwch drafod y cyfnod hwnnw yn ei fywyd. Gallai hyn fod yn ddigon i'w helpu i setlo. Os yw'n teimlo'n ofnus, yn bryderus, yn unig neu'n ddiflas, efallai mai gweiddi mewn anobaith y mae neu'n cael ei gynhyrfu gan yr holl sŵn a'r mynd a dod o'i gwmpas. Trïwch fynd at wraidd yr anesmwythyd. Unwaith eto, efallai fod hyn ddim ond yn fater o dawelu ei feddwl.

Cynghorion cyffredinol ar gyfer ymdopi ag ymddygiad anarferol neu anodd

- Gall y mathau hyn o ymddygiad fod yn annifyr, neu godi cywilydd, neu'r ddau, ond trïwch eich atgoffa eich hun nad yw'ch perthynas yn gwneud hyn yn fwriadol.
- Mae'r ymddygiad yn ffordd o gyfleu teimladau; os ydych chi'n gallu dyfalu beth mae'n trio'i ddweud, bydd datrys y broblem yn haws.
- Gwnewch eich gorau i dawelu meddwl eich perthynas drwy ddangos cariad a'i sicrhau ei fod yn ddiogel. Trïwch dynnu ei sylw gyda gweithgareddau sy'n tawelu, fel tylino'r dwylo, gwrando ar gerddoriaeth neu fwytho anifail anwes.
- Trïwch wneud yn siŵr eich bod yn cael rhyw fath o gefnogaeth a'ch bod chi'n gallu cael seibiant pan mae ei angen arnoch chi. Weithiau, os yw'ch perthynas wedi bod yn eich dilyn chi o'r naill ystafell i'r llall neu'n dweud yr un peth drosodd a thro, efallai y byddwch yn teimlo bod ei ymddygiad yn ormod i chi ac yn ofni y byddwch yn colli eich tymer. Mae hyn yn normal, ond mae'n arwydd bod angen seibiant arnoch chi. Os nad oes neb i gymryd yr awenau, esgusodwch eich hun a gadewch yr ystafell am ychydig – gall hyd yn oed eich cloi eich hun yn y tŷ bach am ychydig funudau roi cyfle i chi dawelu.
- Os bydd yr ymddygiad yn mynd yn ormod o dreth arnoch, ewch i weld y meddyg teulu. Efallai fod rhyw feddyginiaeth a allai helpu, er y dylid ystyried hyn fel cam olaf.
- Trowch at Bennod 10 am ragor o wybodaeth am ymdopi ag anawsterau bod yn ofalwr.

Amgylchedd addas ar gyfer dementia

Mae teimlo'n ansicr a methu gwneud synnwyr o'r byd o'u cwmpas yn gallu gwneud i nifer o'r anawsterau sy'n wynebu pobl â dementia waethygu, fel dryswch, gorbryder, aflonyddwch a hyd yn oed ymddygiad ymosodol. Mae'r amgylchedd yn bwysig ac yn un peth mae'n bosibl ei newid yn gymharol hawdd i leihau'r potensial o 'sgramblo'r ymennydd'.

Yn achos rhywun â dementia, gall synau cefndir gynyddu dryswch a gwneud iddo deimlo'n flinedig neu hyd yn oed yn ymosodol. Trïwch leihau sŵn diangen: er enghraifft, peidiwch â rhoi'r teledu ymlaen oni bai ei fod yn ei wylio. Anogwch blant i siarad un ar y tro a defnyddiwch beiriannau swnllyd y tŷ pan fydd eich perthynas allan o'r ystafell. Gall canolfannau siopa a mannau swnllyd eraill fod yn anodd iawn i rywun â dementia, yn enwedig gan fod nifer o symbyliadau gweledol yno hefyd. Efallai mai osgoi mynd i ganolfannau siopa fyddai orau, ond os nad yw hyn yn bosibl, trïwch ymweld â nhw ar adegau mwy tawel, a cherdded lle mae llai o bobl, a meddyliwch am gael plygiau clustiau iddo os yw'r sŵn yn ormod.

Ceisiwch osgoi annibendod, yn enwedig yn y gegin neu'r ystafell ymolchi lle mae angen iddo ganolbwyntio. Cofiwch y gall dementia achosi problemau gyda chydsymud, felly efallai y bydd mwy o duedd iddo daro neu ollwng pethau. Gallai rhoi hylifau mewn cynwysyddion plastig helpu, a defnyddio llestri mae'n methu eu torri. Yn yr ystafell ymolchi, prynwch siampŵ a chyflyrydd wedi'u cyfuno fel bod llai o boteli. Rhowch labeli ar dapiau a gwnewch yn siŵr nad yw'r dŵr poeth yn rhy boeth, rhag ofn y bydd yn anghofio ychwanegu dŵr oer.

Trïwch gofio y bydd angen help gyda threfniadau ar rywun â dementia yn ystod y cyfnod cynnar, ond mae'n annhebygol o ofyn am yr help hwnnw oherwydd nad yw'n sylweddoli bod ei angen arno! Mae'n fater o geisio rhagweld problemau a meddwl am atebion defnyddiol. Wrth i'r cyflwr ddirywio, bydd angen mwy a mwy o help ar eich perthynas, ond ar y dechrau mae'n well chwilio am ffyrdd o gynnig cefnogaeth er mwyn iddo barhau i fod mor annibynnol â phosibl.

7

Bod yn ymarferol
– yr ochr gorfforol

Mae'r bennod flaenorol wedi trafod yr anawsterau sy'n ymwneud â cholli cof, dryswch ac ymddygiad anodd. O wybod mai anhwylder ar yr ymennydd yw dementia, y duedd yw canolbwyntio ar agweddau seicolegol yr afiechyd. Oherwydd hyn, ac oherwydd ei bod hi'n anochel bod cyfathrebu'n dod yn broblem i'r un sydd â dementia, efallai fod tuedd i anghofio am yr ochr gorfforol. Mae'r bennod hon yn ystyried pwysigrwydd cadw'n gorfforol iach a heini, problemau iechyd cyffredin, yn cynnwys problemau gyda bwyd a bwyta, a sut i ymdopi â gwlychu a baeddu.

Cadw'n iach

Mae cadw'n iach ac yn heini yn bwysig iawn i bobl â dementia er mwyn eu helpu i wneud y gorau o'u bywydau. Mae'n bwysig eu bod yn parhau i gael archwiliadau meddygol cyson ond efallai y byddan nhw'n anghofio gwneud apwyntiadau gyda'r deintydd, yr optegydd neu'r ciropodydd, felly efallai y bydd angen i chi wneud y trefniadau eich hunan, neu o leiaf eu hatgoffa nawr ac yn y man! Anogwch eich perthynas i fyw bywyd mor iach â phosibl i leihau'r perygl o ddatblygu anhwylderau eraill.

Ymarfer corff

Gall ymarfer corff cyson sicrhau iechyd meddyliol a chorfforol eich perthynas. Dylech allu cynnwys ymarfer corff yn rhwydd yn nhrefn arferol y dydd. Mae cerdded yn ddelfrydol, p'un ai allan yn y wlad, yn cerdded i'r siopau neu'n mynd am dro o gwmpas yr ardd. Y gyfrinach yw cadw pethau dan reolaeth ac o fewn ei allu, a sicrhau ymarfer corff cyson. Mae cerdded am bum munud bob bore'n fwy llesol nag awr ar y penwythnos. Bydd ymarfer corff ysgafn yn ei helpu i symud ac i gynnal lefel o annibyniaeth. Mae hefyd yn helpu i atal stiffrwydd neu ddirywiad yn y cyhyrau. Os nad yw'ch perthynas yn gallu symud o gwmpas y lle'n dda iawn, gofynnwch i'ch meddyg teulu neu i'ch ffisiotherapydd am rai awgrymiadau ar gyfer ymarfer corff. Mae nifer o ymarferion y gellir eu gwneud wrth eistedd mewn cadair neu gadair olwyn, neu hyd yn oed wrth orwedd yn y gwely.

Deiet

Mae pawb yn gwybod bod deiet cytbwys yn helpu i hybu system imiwnedd y corff ac i gynyddu ein gallu i wrthsefyll salwch. Ond pan fydd dementia ar rywun, gallai gael problemau bwyta am nifer o resymau a gall hyn arwain at ddeiet gwael heb ddigon o faetholion. (Trowch at dudalen 71.) Yn gyffredinol, trïwch sicrhau bod eich perthynas yn bwyta'n iach. Y cyfan mae hyn yn ei olygu yw ei annog i fwyta o leiaf ddau ddarn o ffrwyth a thri dogn o lysiau bob dydd. Cofiwch y syniad o 'enfys' – bydd ffrwythau a llysiau o liwiau amrywiol yn sicrhau'r cymysgedd gorau o fitaminau a maetholion eraill. Trïwch osgoi gormod o fwydydd wedi eu prosesu, bwydydd sy'n uchel mewn braster a halen, a bwydydd yn llawn siwgr fel melysion, cacennau a bisgedi. Anogwch yr un â dementia i fwyta dau ddogn o bysgod olewog bob wythnos, a digon o gorbys (*pulses*), hadau a grawn cyflawn. Gall bara cyflawn a grawnfwydydd ffibr uchel, yn ogystal â digon o ffrwythau a llysiau, helpu hefyd i leihau'r posibilrwydd o rwymedd, sy'n gyffredin mewn pobl hŷn ac sy'n gallu achosi llawer o boen a dioddefaint. Gofalwch ei fod yn yfed digon, wyth cwpanaid neu wydraid o hylif y dydd, yn ddelfrydol. Mae'n hawdd anghofio yfed os nad ydych chi'n teimlo'n sychedig ac yn achos rhywun â dementia, mae hynny hyd yn oed yn fwy tebygol. Gall peidio ag yfed digon arwain at ddiffyg hylif, sy'n gallu achosi blinder, dryswch, penysgafnder a llewygu.

Mae'n bwysig peidio ag esgeuluso eich deiet eich hun. Gall gofalu am rywun â dementia neu ei helpu fod yn dreth ar eich egni. Efallai y byddwch chi mor brysur yn ystod y dydd fel mai dim ond amser i fwyta brechdan sydyn i ginio fydd gennych chi. Wedyn gyda'r nos, a chithau wedi blino'n lân, bydd cael tecawê yn fwy hwylus na choginio gartref. Mae hynny'n iawn o dro i dro, ond o esgeuluso eich deiet am gyfnod rhy hir, bydd eich iechyd chithau'n dioddef, hyd yn oed os mai dim ond tueddu i gael annwyd neu heintiau'n fwy aml fydd hynny. Nid yw rhoi rhywun arall yn gyntaf yn golygu eich rhoi eich hun yn olaf! Trowch at Bennod 10 am gyngor ynglŷn ag ymdopi fel gofalwr.

Ysmygu

Mae pawb yn gwybod bod ysmygu'n arfer gwael, ond yn achos rhywun â dementia, yn ogystal â bod yn niweidiol i'r iechyd, mae'r perygl o achosi tân yn fwy nag yn achos pobl eraill. Mae rhai pobl â dementia'n anghofio eu bod nhw'n ysmygu, yn enwedig os yw'r sigaréts a'r soseri llwch yn cael eu cuddio o'r golwg. Ond gall rhywun sydd wedi bod yn ysmygu ers blynyddoedd lawer deimlo'n flin ac yn ddryslyd o gael ei atal rhag ysmygu. Mae hon yn ystyriaeth foesol hefyd – os oes gan oedolion hawl i ysmygu yn eu cartrefi eu hunain, ydy hi'n dderbyniol rhwystro oedolyn â dementia rhag parhau i wneud rhywbeth y mae wedi bod yn ei wneud erioed? Os yw hi'n bosibl, dyma fater y dylech ei drafod yn ystod dyddiau cynnar y salwch.

Alcohol

Os yw rhywun yn gyfarwydd â chael gwydraid o win gyda swper, neu ddiod gymdeithasol ar y penwythnos, nid oes rheswm pam ddylai hynny newid oni bai ei fod yn cael effaith niweidiol ar ei iechyd neu ei ddiogelwch. Yn achos rhywun â dementia, gall problemau godi os bydd yn yfed mwy na'r arfer oherwydd ei fod wedi anghofio faint y mae wedi ei gael. Hefyd, efallai nad yw'n llesol yfed alcohol gyda rhai meddyginiaethau. Os ydych yn poeni am arferion yfed eich perthynas, gofynnwch am gyngor gan eich meddyg teulu. Rhaid pwyso a mesur y peryglon posibl, ochr yn ochr â hawliau'ch perthynas i fwynhau diod fel modd o ymlacio neu fel rhan o'i fywyd cymdeithasol, cyn penderfynu ei rwystro rhag yfed alcohol.

Problemau iechyd pobl â dementia

Gall dementia ei gwneud hi'n anodd i'r un â'r salwch adnabod neu sôn am symptomau sy'n ymwneud â phroblemau iechyd fel y byddai'n arfer ei wneud. Wrth i'r cyflwr waethygu, bydd angen i chi gadw golwg ar iechyd eich perthynas a sylwi ar unrhyw arwyddion o boen, anesmwythder neu hwyliau isel. Os ydych chi'n ei helpu i ymolchi a gwisgo, cadwch lygad am groen poenus neu goch, brech, pothelli, cyrn ar y traed neu ewinedd sy'n tyfu i'r byw. Gall unrhyw gochni sy'n para am fwy nag ychydig oriau fod yn arwydd o ddolur gwasgu. Soniwch wrth eich meddyg teulu neu wrth eich nyrs am hyn. Edrychwch a welwch chi glwyfau a chleisiau hefyd, rhag ofn bod eich perthynas wedi disgyn ac wedi anghofio sôn wrthych chi am hynny.

Iselder

Mae iselder a hwyliau isel yn gyffredin iawn mewn pobl â dementia. Yn y dyddiau cynnar, gall fod yn ymateb syml a dealladwy i ddiagnosis o ddementia, neu'n ganlyniad i newidiadau cemegol yn yr ymennydd. Os nad yw'r iselder yn rhy ddrwg, mae'n bosibl ei drin gydag ymarfer corff a gweithgareddau eraill. Ond os yw'n fwy difrifol, efallai y bydd eich meddyg yn awgrymu cwrs o gyffuriau gwrthiselder. (Trowch at Bennod 5 am ragor o wybodaeth am iselder a sut i'w drin.)

Problemau clyw

Os yw'ch perthynas yn methu clywed yn iawn, gall hyn ychwanegu at ei ddryswch a'r teimlad o fod ar wahân. Os ydych chi'n amau bod problem gyda'i glyw, gofynnwch i'r meddyg teulu ei gyfeirio am brawf clyw. Yn y cyfamser:

- cyffyrddwch yn ysgafn â'i fraich cyn i chi ddechrau siarad, a gwnewch yn siŵr eich bod yn ei wynebu;
- siaradwch yn glir ac yn araf, gan gadw cwestiynau'n syml a gofyn dim ond un cwestiwn ar y tro;
- trïwch leihau unrhyw sŵn arall – diffoddwch y radio neu'r teledu, a thrïwch symud oddi wrth unrhyw leisiau uchel neu beiriannau swnllyd.

Problemau gyda'r golwg

Fel y problemau gyda'r clyw, gall problemau gyda'r golwg ychwanegu at ddryswch rhywun â dementia. Gall wneud i ddementia ymddangos yn waeth nag y mae mewn gwirionedd oherwydd ei bod hi'n anodd iddo adnabod pobl neu bethau. Os yw'ch perthynas yn ymddangos fel petai'n cael anhawster gweld yn glir, trefnwch brawf llygaid ar ei gyfer. Bob dydd, efallai y bydd angen i chi ei atgoffa'n gynnil i wisgo'i sbectol, a gwneud yn siŵr ei fod yn gwisgo'r sbectol gywir i ddarllen ac i weld o bell, a bod y lensys yn lân.

Rhwymedd

Gall rhwymedd achosi poen ac anesmwythdra difrifol, ac yn achos rhywun â dementia, gall hefyd ychwanegu at ddryswch. Mae'n broblem gyffredin ymysg yr henoed, yn enwedig wrth iddyn nhw fethu symud gymaint. Mae'n well ceisio atal y cyflwr na'i wella, felly gwnewch eich gorau i annog eich perthynas i wneud ymarfer corff yn gyson, yfed digon o hylif a bwyta digon o fwydydd sy'n uchel mewn ffibr fel ffrwythau a llysiau, bara cyflawn, grawnfwydydd, ffa a chorbys.

Gall bwyta llawer o ffrwythau ffres fod yn anodd i rai pobl oedrannus, felly os nad yw'r syniad o fwyta afal neu oren yn apelio, trïwch ei annog i fwyta llwyaid neu ddwy o stwnsh prŵns neu fricyll 'meddyginiaethol' – gall hyd yn oed y tamaid lleiaf helpu. Os bydd y broblem yn parhau, cysylltwch â'ch meddyg neu'ch nyrs.

Problemau bwyta

Mae'n weddol gyffredin i bobl â dementia ddatblygu problemau gyda bwyd a bwyta. Weithiau, fe fyddan nhw'n gwrthod bwyta, gan wthio'r un sy'n trio'u bwydo o'r ffordd, gwrthod agor eu ceg neu droi eu pen i ffwrdd. Bryd arall, efallai y byddan nhw'n fodlon derbyn y bwyd ond wedyn yn ei boeri allan neu'n gwrthod ei lyncu. Os bydd hyn yn digwydd yn achos eich perthynas chi, peidiwch â chymryd y peth yn bersonol – nid yw'n bod yn anodd yn fwriadol. Y tebygrwydd yw ei fod yn ymateb fel hyn yn sgil yr ymennydd yn cael signalau anghywir neu oherwydd rhyw broblem yn y geg. Byddai trefnu archwiliad gyda'r deintydd yn syniad da, i gadarnhau a oes unrhyw broblemau sy'n gallu egluro pam mae'n gyndyn o fwyta.

Mae'r Alzheimer's Society yn argymell tair prif egwyddor wrth helpu rhywun â dementia i fwyta:

- Gan bwyll – mae cael prydau bwyd yn dawel ac yn gyson yn gysur i rywun â dementia. Trïwch wneud yn siŵr bod amser bwyd yn gyfnod ymlaciol a hamddenol; diffoddwch y radio neu'r teledu fel bod digon o amser ar gyfer y pryd bwyd. Peidiwch byth â cheisio bwydo rhywun sy'n ffwdanus, yn gysglyd neu'n gorwedd, gan fod hyn yn creu perygl o dagu.

- Byddwch yn hyblyg – mae arferion bwyta'n debygol o newid wrth i'r dementia waethygu, felly mae'n werth dysgu derbyn y gall amser prydau bwyd fod yn wahanol iawn i'r hyn roedden nhw yn y gorffennol, neu sut y byddai'n well gennych chi iddyn nhw fod.

- Helpwch eich perthynas i deimlo'n rhan o'r broses – os oes rhaid i chi ei fwydo, gwnewch eich gorau i'w gynnwys yn y broses fwyta: trïwch roi bwyd yn ei law a'i helpu i'w roi yn ei geg.

Colli pwysau a diffyg archwaeth

Mae'n gyffredin i bobl â dementia golli pwysau heb reswm yng nghyfnod diweddarach dementia, er nad ydym yn gwybod eto pam mae hyn yn digwydd. Serch hynny, mae colli pwysau yn sgil diffyg archwaeth hefyd yn weddol gyffredin. Mae nifer o resymau pam mae rhywun â dementia'n colli diddordeb mewn bwyd neu'n colli ei archwaeth at fwyd. Mae'r rhain yn cynnwys:

- iselder (trowch at dudalen 44)
- ceg neu ddeintgig (*gums*) poenus, dannedd gosod sy'n ffitio'n wael
- rhwymedd (trowch at dudalen 70)
- anawsterau wrth gnoi a llyncu – problem gynyddol wrth i'r dementia waethygu. Gofynnwch i'ch meddyg teulu eich cysylltu â therapydd iaith a lleferydd, a all gynnig cyngor a chymorth.

Yng nghyfnod diweddarach dementia, gall y problemau godi oherwydd niwed i'r rhan o'r ymennydd sy'n dweud beth yw pwrpas bwyta a sut i wneud hynny. Os nad yw'r negeseuon addas yn cyrraedd, efallai na fydd eich perthynas yn deall pwysigrwydd bwyta, hyd yn oed os yw'n llwgu a'i hoff fwyd ar y bwrdd o'i flaen.

Os yw'ch perthynas yn dal i fyw ar ei ben ei hun, efallai ei fod yn anghofio bwyta prydau. Dyma arwydd bod angen lefel uwch o help arno nawr. Trïwch drefnu i rywun fod yno adeg pryd bwyd i sicrhau ei fod yn bwyta. Cysylltwch â'ch adran gwasanaethau cymdeithasol leol i holi a all gofalwr alw i baratoi pryd o fwyd neu ddim ond i eistedd yno'n gwmni nes iddo orffen bwyta.

Ennill pwysau a gorfwyta

Eto, gall gorfwyta ddigwydd oherwydd difrod i'r ymennydd ac yn aml mae'n broblem dros dro. Ar y llaw arall, fe allai colli cof fod yn fwy o reswm dros hyn. Yn yr un modd ag y mae rhywun â dementia yn gallu anghofio bwyta, mae hefyd yn bosibl y bydd yn anghofio'n llwyr ei fod wedi bwyta pryd o fwyd. Gall hyn arwain at rywun yn bwyta sawl pryd ychwanegol bob dydd, gan arwain at ennill pwysau yn ogystal â gwneud iddo deimlo'n anghyffordus a gorlawn. Os yw'ch perthynas yn bwyta gormod, trïwch ofalu bod unrhyw beth na ddylai ei fwyta allan o'i afael ac o'r golwg. Os byddwch yn ei weld yn trio bwyta a chithau'n gwybod ei fod wedi cael digon o fwyd, tynnwch ei sylw gyda rhyw weithgaredd y mae'n ei fwynhau. Gallai hyn wneud iddo anghofio am fwyd am ychydig. Os ydych chi'n methu ei rwystro rhag bwyta gormod, trïwch ofalu bod y bwyd y mae'n ei fwyta mor iach â phosibl. Mae bwydydd fel moron amrwd, seleri, puprau ac ati'n ddefnyddiol am eu bod yn iach, yn isel mewn calorïau ac yn cymryd tipyn o amser i'w bwyta. Mae ffrwythau ffres a sych hefyd yn dda, ond cofiwch y gall ffrwythau gynnwys llawer o galorïau, felly os yw dros ei bwysau, gall darn o foronen fod yn ddewis gwell.

Helpu i fwyta'n iach

- Gofalwch fod eich perthynas yn cael digon o hylif i'w yfed – efallai na fydd yn sylweddoli ei fod yn sychedig – a'i fod yn bwyta deiet cytbwys a maethlon (trowch at dudalen 68).
- Os yw'n aflonydd neu heb archwaeth at fwyd, efallai y bydd hi'n haws iddo ymdopi â phrydau bach ond cyson neu fyrbrydau yn hytrach na thri phryd mawr y dydd.
- Gofalwch nad yw'r bwyd na'r ddiod yn rhy boeth. Efallai na fydd eich perthynas yn gallu barnu tymheredd, neu efallai y bydd yn anghofio ystyried pa mor boeth yw paned o de, er enghraifft.
- Yn aml bydd pobl â dementia'n gweld bod blasau'n newid wrth i'w cyflwr ddirywio, yn sgil newidiadau yn yr ymennydd. Efallai y byddan nhw'n dymuno cael bwydydd cryfach o ran blas a mwy o halen a phupur nag o'r blaen. Ond gwnewch yn siŵr na fyddan nhw'n gorddefnyddio sesnin fel halen neu tsili, oherwydd gall gormodedd o'r rhain fod yn niweidiol.

Gwlychu a baeddu

Mae gwlychu a baeddu'n digwydd yn gyffredin iawn gyda dementia, ond nid yw hyn yn gyffredin i bawb sydd â dementia. Efallai mai dim ond yn achlysurol y bydd rhywun â dementia'n gwlychu ac yn baeddu, ond ar y llaw arall, gall ddigwydd yn gyson iawn neu drwy'r amser. Ond pa mor aml bynnag y mae'n digwydd, gall achosi gofid i bawb, ac felly mae'n broblem y mae angen mynd i'r afael â hi cyn gynted â phosibl.

Methu rheoli'r bledren ddŵr sy'n achosi gwlychu – ac mae'n fwy cyffredin na baeddu, sef methu rheoli'r coluddyn.

Gall gwlychu a baeddu ddigwydd am resymau meddygol ac anfeddygol. Ymysg yr achosion meddygol mae trafferth gyda'r chwarren brostad mewn dynion, haint ar y llwybr wrinol a rhwymedd difrifol. Dylai eich meddyg allu cadarnhau'r achos a chynnig meddyginiaeth ar gyfer unrhyw haint, neu os mai'r chwarren brostad sy'n achosi'r broblem, efallai y bydd yn argymell llawdriniaeth. Gall rhwymedd roi pwysau ar y bledren, gan arwain at wlychu, yn ogystal â baeddu. Efallai y bydd angen i'r meddyg gynnig triniaeth os yw'r rhwymedd yn ddifrifol iawn, ond trio sicrhau nad yw'ch perthynas yn mynd yn rhwym yn y lle cyntaf sydd orau. Trowch at dudalen 71 am gyngor.

Gall rhesymau anfeddygol gynnwys anghofio mynd i'r tŷ bach neu anghofio ble mae hwnnw. Weithiau, oherwydd niwed i'r ymennydd, efallai na fydd eich perthynas yn sylweddoli'r angen i fynd i'r tŷ bach, neu efallai y bydd yn drysu gan ddefnyddio rhywbeth arall yn lle'r toiled, fel bin sbwriel neu fasged ddillad.

Er bod rhai pobl â dementia'n gallu ymdopi â'r syniad o wlychu a baeddu'n well nag eraill, gall achosi cryn wewyr meddwl i nifer o bobl. Mae embaras neu gywilydd ynglŷn â'r hyn sy'n digwydd yn deimladau cyffredin. Gallai'ch perthynas deimlo'n ofidus fod rhywun arall yn gorfod ei helpu gyda'r agwedd hynod bersonol yma ar ei fywyd. Gall achosi gwewyr iddo fod rhywun agos ato'n gorfod gwneud hyn. Mae'n eithaf cyffredin i rywun â dementia drio cuddio'r ffaith ei fod wedi cael damwain. Efallai y bydd yn tynnu ei ddillad gwlyb neu fudr ac yn trio'u cuddio, neu'n trio cuddio'i faw neu ei bacio mewn rhywbeth er mwyn iddo allu cael gwared ar y pecyn yn dawel bach.

Lleihau'r perygl o ddamweiniau

Er bod damweiniau'n debygol iawn, mae ffyrdd o leihau'r perygl hwnnw:

- Gofynnwch yn aml a oes eisiau mynd i'r tŷ bach arno a chwiliwch am arwyddion sy'n dangos bod angen mynd arno – gwingo, er enghraifft, neu dynnu ar ei ddillad. Ewch ag ef i'r tŷ bach os oes angen.
- Triwch sefydlu trefn 'amser mynd i'r tŷ bach'. Gall hyn osgoi baeddu os yw symudiadau'r coluddyn yn gymharol gyson.
- Gofalwch ei fod yn gwybod ble mae'r tŷ bach, yn enwedig pan fydd yn rhywle gwahanol – er enghraifft, yn ymweld â theulu neu ffrindiau, neu mewn caffi neu fwyty. Efallai y byddai'n syniad rhoi arwydd ar y drws – gall llun lliwgar fod yn well syniad na'r gair. Dylai'r llun fod ar yr uchder iawn iddo allu ei weld yn rhwydd.
- Gofalwch ei fod hi'n hawdd iddo gyrraedd y tŷ bach – a oes unrhyw rwystrau, fel dodrefn wedi'u gosod mewn man lletchwith? A oes unrhyw ddrysau sy'n anodd eu hagor? Os yw hi'n anodd iddo

gyrraedd y tŷ bach, efallai y byddai comôd yn ddefnyddiol. Trafodwch y mater â'ch nyrs gymunedol.

- Gadewch ddrws y tŷ bach ar agor er mwyn iddo weld ei fod yn wag.
- Os oes angen, addaswch ddillad eich perthynas i'w gwneud hi'n haws eu hagor. Gallai felcro fod yn fwy hwylus na sip neu fotymau, yn enwedig i bobl sy'n cael anhawster wrth ddefnyddio'u dwylo, oherwydd arthritis neu broblemau iechyd eraill efallai.
- Gofalwch ei fod yn gallu eistedd ar y toiled a chodi oddi arno'n hwylus – meddyliwch am ddefnyddio sedd uwch neu osod canllawiau petai hyn yn helpu. Gofynnwch i'ch meddyg teulu am fanylion cyswllt therapydd galwedigaethol a fydd yn gallu rhoi cyngor i chi ar hyn.
- Os yw gwlychu yn ystod y nos yn broblem, anogwch eich perthynas i beidio ag yfed diodydd yn ystod yr awr neu ddwy olaf cyn mynd i'r gwely. Peidiwch â chyfyngu ar hylif yn ystod y dydd, serch hynny – gall hyn achosi rhwymedd neu ddiffyg hylif, dau beth sy'n gallu ychwanegu at ddryswch.

Cymorth ymarferol

Os bydd gwlychu a baeddu yn dod yn broblem fwy tymor hir, gall eich meddyg eich helpu i gysylltu â'r nyrs gymunedol leol, ymgynghorydd gwlychu a baeddu neu therapydd galwedigaethol. Gall ef neu hi drefnu ymweliad cartref i asesu'r sefyllfa, a'ch cynghori ar ffyrdd i wneud pethau'n haws ac ar gymryd camau ymarferol i warchod dodrefn, dillad a dillad gwely. Mae nifer o eitemau ar gael a allai fod yn ddefnyddiol: mae rhai ar gael yn rhad ac am ddim gan y nyrs gymunedol neu'r ymgynghorydd, ac mae'r lleill ar gael i'w prynu o'r fferyllfa. Mae'r rhain yn cynnwys dillad gwely a gorchuddion matresi sy'n dal dŵr, cynfasau i'w rhoi o dan y dillad gwely sy'n amsugno gwlybaniaeth, a nicers, trôns a phadiau gwlychu a baeddu.

Beth i'w wneud pan fydd eich perthynas yn cael damwain

Mae'n bwysig trafod problemau gwlychu a baeddu mewn ffordd ddidaro. Er eich bod yn gwybod bod eich perthynas yn methu gwneud dim byd yn ei gylch, mae'n anodd weithiau peidio â theimlo'n ddig neu'n siomedig. Petaech chi'n dangos y teimladau hyn, efallai y byddech chi'n achosi mwy o ofid ac embaras. Trïwch beidio â dangos eich embaras neu eich siom chi eich hun. Efallai y byddai defnyddio hiwmor yn helpu'r sefyllfa ychydig i'r ddau ohonoch, ond mae angen i chi wneud yn siŵr y byddai gwneud hynny'n addas.

Os yw'n cael damwain, helpwch eich perthynas i ddiosg y dillad gwlyb neu fudr yn gyflym. Os yw'r dillad yn wlyb neu'n fudr, bydd yn teimlo'n anghyfforddus a gall y croen fynd yn boenus neu'n llidiog hefyd. Helpwch ef i ymolchi gyda sebon mwyn a dŵr cynnes a gofalu ei fod yn berffaith sych cyn ei helpu i wisgo dillad glân.

Canllawiau i osgoi arogleuon drwg

- Golchwch ddillad a dillad gwely gwlyb ar unwaith neu rhowch nhw i socian mewn cynhwysydd wedi'i selio nes byddwch chi'n gallu eu golchi nhw.
- Defnyddiwch gynhwysydd addas i gael gwared â phadiau sydd wedi'u defnyddio.
- Mae ffibrau naturiol yn ddewis da ar gyfer dillad a dillad gwely oherwydd eich bod yn gallu eu golchi nhw ar wres uwch.
- Cadwch stoc o bapur tŷ bach llaith wrth law ar gyfer damweiniau bach.
- Ystyriwch gael gwared ar unrhyw eitemau sydd fel petaen nhw'n dal yr arogl.
- Arbrofwch gyda nwyddau diarogli nes i chi ddod o hyd i un sy'n gweithio, ond cofiwch mai dim ond cuddio'r arogleuon drwg mae'r diheintyddion ag arogl cryf. Mae soda pobi'n dda am gael gwared ar arogl yn naturiol.

Os yw hi'n anodd iawn i chi ymdopi â'ch teimladau eich hun ynglŷn â gwlychu a baeddu, mynnwch sgwrs ag ymgynghorydd neu â nyrs gymuned.

8

Help allanol, budd-daliadau a gwasanaethau

Gall gofalu am rywun â dementia fod yn drafferthus, yn ddrud ac yn flinedig, yn enwedig os mai chi yw'r prif ofalwr, ac yn fwy fyth felly wrth i amser fynd yn ei flaen. Mae'n bosibl y byddwch yn ymdopi'n iawn ar y dechrau, heb ystyried chwilio am help allanol nes y bydd ei angen arnoch. Ond mae'n bwysig eich bod yn ymwybodol o'r gefnogaeth sydd ar gael er mwyn i chi allu manteisio arni ar unwaith pan fydd angen. Mae amrywiaeth eang o wasanaethau ar gael i bobl â dementia a'u gofalwyr; yr awdurdod lleol, y GIG neu elusennau a sefydliadau gwirfoddol sy'n darparu'r rhain. O safbwynt cymorth ariannol, mae'n bosibl bod gennych chi a'ch perthynas hawl i nifer o fudd-daliadau gwahanol, a dylech hawlio'r rhain cyn gynted â phosibl. Gallen nhw wneud gwahaniaeth sylweddol i'ch bywyd pob dydd.

Hawlio budd-daliadau

Mae gan y system fudd-daliadau enw drwg am fod yn hynod o gymhleth o safbwynt pobl â dementia a'u gofalwyr. Mae rhai budd-daliadau'n dibynnu ar gyfraniadau Yswiriant Gwladol, ond nid pob un; mae rhai'n drethadwy, ac eraill ddim, ac mai rhai, ond nid pob un, yn seiliedig ar brawf modd. Yr Adran Gwaith a Phensiynau sy'n talu'r rhan fwyaf o fudd-daliadau. Nid oes lle yma i fynd i fanylder mawr, ond dyma amlinelliad: gall yr un sydd â dementia fel arfer hawlio'r Lwfans Gweini (AA: *Attendance Allowance*) neu gydran gofal Lwfans Byw i'r Anabl (DLA: *Disability Living Allowance*) neu'r Taliad Annibyniaeth Personol (*Personal Independence Payment*) mwy diweddar. Os ydych chi'n treulio 35 awr yr wythnos neu ragor yn gofalu am eich perthynas, a bod cydran gofal Lwfans Byw i'r Anabl yn cael ei thalu ar y raddfa ganol neu uwch, efallai y gallwch chi hawlio'r Lwfans Gofalwr (*Carer's Allowance*). Nid oes rhaid i chi fod yn perthyn nac yn byw yn yr un cyfeiriad, ac nid oes rhaid i chi fod wedi talu cyfraniadau Yswiriant Gwladol i hawlio'r budd-dal hwn, ond mae'n drethadwy. Dim ond

77

os yw'ch enillion o dan lefel benodol ar ôl tynnu costau sy'n cael eu caniatáu y byddwch chi'n gymwys i'w hawlio. Mewn rhai achosion, gall Lwfans Gofalwr effeithio ar y budd-daliadau mae'r un sydd â dementia yn eu cael, felly bydd angen i chi ymchwilio i hynny cyn hawlio.

Ymysg y budd-daliadau eraill a allai fod yn berthnasol mae:

- Credyd Pensiwn – bydd yr oed pan fydd dynion a merched yn gymwys i hawlio Credyd Pensiwn yn codi yn unol â'r newidiadau yn oedran pensiwn y wladwriaeth i ferched. Ewch i www.gov.uk/pensiwn-sylfaenol-y-wladwriaeth i gael y wybodaeth ddiweddaraf.

- Budd-dal Tai – caiff hwn ei dalu i bobl ar incwm isel sy'n gorfod talu rhent ac sydd â'u cynilion yn is na swm penodol. Yr awdurdod lleol sy'n ei asesu ac yn ei dalu.

- Budd-dal y Dreth Gyngor – mae'n bosibl y gall rhai pobl gael hawl i ostyngiad yn y dreth gyngor os yw eu hincwm, eu cynilion a'u cyfalaf o dan ryw lefel benodol. Eto, budd-dal gan yr awdurdod lleol yw hwn.

- Cymhorthdal Incwm – budd-dal sy'n seiliedig ar brawf modd yw hwn ac mae ar gael i helpu'r bobl hynny, fel gofalwyr, sydd heb gyrraedd yr oed cymwys ar gyfer Credyd Pensiwn ac nad oes gofyn iddyn nhw fod ar gael i weithio. Os ydych chi'n cydymffurfio â'r meini prawf, mae'n bosibl y gallwch hawlio Cymhorthdal Incwm os ydych ar incwm isel heb lawer o gynilion.

- Taliadau Tanwydd Gaeaf – dylai pobl 65 oed a throsodd fod yn gymwys ar gyfer taliad i'w helpu gyda chost tanwydd. Gall y rhai sy'n 80 neu'n hŷn hawlio taliad uwch. Am ragor o wybodaeth, ffoniwch linell gymorth y Taliadau Tanwydd Gaeaf ar 0800 731 0160.

- Budd-daliadau'r GIG fel profion llygaid (sy'n rhad ac am ddim i unrhyw un sy'n 60 neu'n hŷn), talebau tuag at gost sbectol, help gyda chostau teithio ar gyfer triniaeth dan y GIG, triniaeth ddeintyddol a theclynnau rhad ac am ddim gan y GIG. Mae'r rhain yn cynnwys wigiau a dillad cynhaliol, e.e. staes i gynnal y cefn.

- Lwfans Cyflogaeth a Chymorth (ESA: *Employment Support Allowance*) – mae hwn ar ddwy wedd: ESA Cyfrannol (*Contributory*) (sydd wedi cymryd lle'r Budd-dal Analluogrwydd) a'r ESA Seiliedig ar Incwm (sydd wedi cymryd lle'r Cymhorthdal Incwm a oedd yn cael ei hawlio ar sail anallu i weithio). Mae'r rheini sy'n hawlio Budd-dal

Analluogrwydd neu Gymhorthdal Incwm ar sail anallu i weithio yn cael eu trosglwyddo i Lwfans Cyflogaeth a Chymorth. Gallwch gael Cymhorthdal Incwm o hyd os ydych yn gymwys ar sail heblaw am anabledd.

Nid yw'r rhestr hon yn gyflawn, wrth gwrs, a gall rhai budd-daliadau effeithio ar fudd-daliadau eraill, felly bydd angen cyngor arbenigol arnoch chi ynglŷn â'r hyn y gallwch ei hawlio. Gallwch gael cyngor ar fudd-daliadau gan Gyngor Ar Bopeth (gweler Cyfeiriadau defnyddiol) a fydd yn gallu ateb ymholiadau cyffredinol a'ch cyfeirio at y man cywir i gael gwybodaeth fanylach. Neu ffoniwch yr Adran Gwaith a Phensiynau – ewch i https://customerservicecontactnumber. uk/dwp i gael y rhif ffôn perthnasol. Efallai y byddai'n werth siarad â'ch gweithiwr cymdeithasol hefyd, os oes un gennych chi, neu â'ch cangen leol o'r Alzheimer's Society. Mae'r ffurflenni cais ar gyfer rhai o'r budd-daliadau yma'n hynod hir a chymhleth ac efallai y byddwch chi mor gyndyn o'u llenwi (rhywbeth rwy'n ei alw'n 'ffobia ffurflenni') fel y byddwch chi'n penderfynu peidio â bwrw ymlaen â'r cais. Ond peidiwch! Gofynnwch am help – mae nifer o bobl ar gael sy'n treulio pob dydd yn llenwi ffurflenni cais fel hyn a byddan nhw'n gallu dangos i chi sut i weithio'ch ffordd drwyddyn nhw. Holwch eich gweithiwr cymdeithasol, neu rywun yn eich canolfan Cyngor Ar Bopeth neu yn eich cangen leol o'r Alzheimer's Society.

Casglu incwm gan fudd-daliadau – asiantau

Erbyn heddiw, mae budd-daliadau'r rhan fwyaf o bobl yn cael eu talu i mewn i gyfrif banc neu gymdeithas adeiladu, ond os yw'ch perthynas fel arfer yn casglu'r budd-dal o swyddfa'r post, mae'n syniad da eich penodi chi neu ffrind neu berthynas dibynadwy arall fel 'asiant'. Mae hyn yn golygu rhoi gwybod am hyn i'r Adran Gwaith a Phensiynau, er mwyn trosglwyddo'r llyfrau budd-dal i'ch enw chi wrth i chi weithredu fel 'asiant awdurdodedig' eich perthynas. Gall asiant awdurdodedig gasglu budd-dal ar ran yr un sydd â dementia. Yr unig un sy'n gallu penodi asiant yw rhywun sy'n gallu trin arian gyda chymorth ac sy'n deall beth yw goblygiadau penodi asiant. Felly mae'n syniad da trefnu hyn tra mae'ch perthynas yn dal i allu rheoli ei arian ei hun a gwneud penderfyniadau gwybodus.

Rheoli incwm gan fudd-daliadau – penodeion

Os yw'ch perthynas yn methu rheoli'r incwm o'i fudd-daliadau bellach, efallai y bydd angen i rywun arall weithredu ar ei ran, gweinyddu incwm ei fudd-daliadau er ei les a gofalu ei fod yn hawlio'r budd-daliadau perthnasol ac yn talu am bopeth angenrheidiol. 'Penodai' (*appointee*) yw'r un sy'n gwneud hyn. Os yw'n bosibl, dylai hwn fod yn berthynas agos sy'n byw gyda'r person neu sy'n ymweld ag ef yn gyson, o leiaf. Mae'n bosibl, mewn rhai achosion, i ffrind, cymydog neu ofalwr proffesiynol weithredu fel penodai. Os ydych chi'n dymuno bod yn benodai, bydd angen i chi gysylltu â'r Adran Gwaith a Phensiynau gan egluro bod dementia ar eich perthynas a'i fod bellach yn methu rheoli ei fudd-daliadau. Bydd gofyn i chi lenwi ffurflen ac efallai y bydd rhywun o'r swyddfa'n dod ar ymweliad neu'n gofyn am dystiolaeth i gadarnhau ei fod yn methu delio bellach â'i fudd-daliadau. Bydd angen i'r Adran hefyd sicrhau eich bod chi'n deall y cyfrifoldebau sydd ynghlwm â hyn a'ch bod chi'n gymwys i fod yn benodai.

Fel penodai, bydd angen i chi wneud y canlynol:

- rhoi gwybod am unrhyw newidiadau mewn amgylchiadau a allai effeithio ar fudd-daliadau eich perthynas
- arwyddo ar ei ran i ganiatáu i'r banc neu'r gymdeithas adeiladu dalu llog heb dynnu treth (os nad yw'n talu treth)
- delio'n unig â'r incwm gan fudd-daliadau, ar wahân i symiau bach o gynilion y gellir eu defnyddio mewn achosion brys.

Gall penodai ymddiswyddo os nad yw ef neu hi bellach yn gallu gweithredu ar ran yr un â dementia. Fel arfer, os bydd rhywun arall yn dechrau gweithredu ar ran y person dan atwrneiaeth arhosol (trowch at dudalen 18), bydd yn ymgymryd â dyletswyddau'r penodai. Mae gan yr Adran Gwaith a Phensiynau hawl i ddileu rôl penodai os oes tystiolaeth nad yw'n gweithredu er lles yr un â dementia.

Help ymarferol

Mae pawb yn gwybod bod help allanol ar gael, ond fe all cael gafael arno fod yn her os nad ydych chi'n gwybod yn iawn ble i ddechrau. Mae awdurdodau lleol yn amrywio o safbwynt y gwasanaethau y maen nhw'n eu cynnig a phwy sy'n eu darparu – bydd yr adran gwasanaethau cymdeithasol yn darparu rhai'n uniongyrchol ac asiantaethau neu sefydliadau eraill yn trefnu rhai eraill. Serch hynny, mae rheolau neu feini prawf cymhwyster yn bod ynglŷn â pha fath o anghenion y byddan nhw'n eu cefnogi, ac unwaith y bydd rhywun â dementia wedi ei asesu (gweler isod) a'i anghenion o ran cymhwyster wedi eu cadarnhau, mae darparu'r gwasanaethau hynny sy'n diwallu ei anghenion yn ddyletswydd ar yr awdurdod lleol. Bydd y rhan fwyaf o awdurdodau'n cynnwys gwasanaethau fel:

- Gofal cartref – cynnig cymorth i helpu eich perthynas i aros yn ei gartref ei hun. Eto, mae gwasanaethau'n amrywio rhwng awdurdodau lleol, ond dylid teilwra'r gefnogaeth i anghenion y person gymaint â phosibl. Gall fod mor syml â chael un gofalwr yn galw am ychydig oriau'r wythnos i helpu gyda'r siopa a'r gwaith tŷ, neu dîm o ofalwyr yn galw drwy gydol y dydd i helpu gyda gofal personol.
- Gofal dydd – mae gan nifer o awdurdodau lleol ganolfannau dydd lle gall pobl â dementia gymdeithasu a chymryd rhan mewn gweithgareddau ysgogol a therapïau, yn ogystal â chael gofal personol tra maen nhw yn y ganolfan. Fel arfer, mae cludiant ar gael i'r ganolfan ac oddi yno.
- Offer arbennig, e.e. cymhorthion cof, fel hysbysfyrddau, bocsys dal tabledi wedi eu marcio â dyddiau'r wythnos, neu glociau ag wynebau mawr; dyfeisiau diogelwch, fel synwyryddion nwy a larymau lefel dŵr; offer i helpu gyda symudedd neu gydag ymolchi a defnyddio'r tŷ bach. Gallai trefnu addasiadau i'r cartref yn ôl yr angen fod yn bosibl hefyd.
- Gofal seibiant (trowch at dudalen 85).
- Gofal mewn cartref gofal (trowch at dudalen 90).

Mae rhai o gynghorau sir y de, a Cheredigion yn darparu gwasanaeth pryd ar glud.

Asesiad anghenion gofal

Asesiad o anghenion gofal eich perthynas yw hwn. Yr adran gwasanaethau cymdeithasol sy'n ei wneud a dylid ei drefnu cyn gynted ag y bydd hi'n amlwg bod angen gofal a chefnogaeth ar y person. Nid oes angen aros nes cael diagnosis ffurfiol o ddementia cyn trefnu asesiad anghenion a bydd yr awdurdod lleol yn methu trefnu unrhyw wasanaethau cymorth tan ar ôl yr asesiad. Gall yr asesiad gynnwys:

- ymweliad â'ch perthynas i asesu cyflwr ei iechyd a'i anableddau, a gweld pa dasgau y mae'n gallu ymdopi â nhw a beth sy'n achosi anhawster
- ei holi ef a'r gofalwr an eu gofynion ac ystyried eu safbwyntiau
- adnabod pa rai o anghenion eich perthynas y mae'r awdurdod lleol yn gorfod eu bodloni o dan eu meini prawf cymhwystra
- ystyried trefniadau byw'r person ar y pryd a thrafod trefniadau ar gyfer gofal yn y dyfodol.

Ar ôl yr asesiad anghenion gofal, bydd sefyllfa ariannol y person yn cael ei hasesu i benderfynu maint ei gyfraniad, os bydd angen iddo gyfrannu.

Asesiad gofalwr

Os ydych chi, neu os byddwch chi'n fuan, yn rhoi gofal sylweddol yn rheolaidd er mwyn i'ch perthynas allu aros yn ei gartref ei hun, mae gennych hawl i gael 'asesiad gofalwr'. Asesiad o'ch anghenion chi yw hwn, ac mae'n caniatáu i'r awdurdod lleol ddarparu gwasanaethau i chi yn eich hawl eich hun. Dylai ystyried a ydych yn cymryd rhan mewn unrhyw waith, addysg, hyfforddiant neu weithgaredd hamdden, neu'n dymuno gwneud. Mae hyn yn seiliedig ar egwyddor hawliau cyfartal – hynny yw, dylai unrhyw un sy'n gofalu am berthynas neu ffrind allu manteisio ar yr un cyfleoedd â rhywun sydd heb gyfrifoldebau gofalu. Os nad ydych wedi cael asesiad gofalwr, gofynnwch i'r awdurdod lleol drefnu un. Wrth ofalu am rywun â dementia, mae'n hawdd gwthio eich anghenion arbennig chi i waelod y rhestr flaenoriaethau. Ond mae'n bwysig iawn i ofalwyr ofalu am eu hiechyd a'u lles nhw eu hunain, a gall yr awdurdod lleol ddarparu cefnogaeth i ofalwyr. Gall hyn gynnwys gofal dros dro (seibiant) ar gyfer eich perthynas, er efallai y bydd gofyn i chi gyfrannu at gost y gofal hwnnw.

Problemau posibl

Cyflwynodd Deddf Gwasnaethau Cymdeithasol a Llesiant (Cymru) 2014 feini prawf cenedlaethol ar gyfer cymhwysedd i gael gofal a chymorth, a rhaid eu defnyddio i benderfynu pwy sy'n gymwys i gael help. Os yw'ch cais am asesiad anghenion yn cael ei wrthod ar sail y ffaith nad yw'ch perthynas yn cydymffurfio â'r meini prawf, mae'n werth ysgrifennu at yr awdurdod i egluro'r amgylchiadau'n fwy manwl, neu ofyn i rywun arall wneud hynny ar eich rhan – rhywun o'r Alzheimer's Society neu Gyngor Ar Bopeth, efallai. Mae'n bwysig dal ati a gofalu bod gan yr awdurdod yr holl wybodaeth berthnasol cyn iddo benderfynu. Mae'r awdurdod lleol yn methu gwrthod asesu rhywun oherwydd bod ganddo ddigon o incwm neu gynilion i dalu am ei ofal ei hun.

Yr asesiad

Gellir trefnu asesiadau drwy gael eich cyfeirio gan eich meddyg teulu neu drwy gysylltu'n uniongyrchol â'r gwasanaethau cymdeithasol. Gall eich perthynas wneud hyn ei hun, neu gallwch chi ei wneud ar ei ran. Gall yr asesiad gael ei gwblhau yn ystod un ymweliad, ond os yw anghenion y person yn fwy cymhleth efallai y bydd angen ei gwblhau dros gyfnod o sawl wythnos. Bydd yr aseswr yn awyddus i siarad â'r un â dementia ac â'r prif ofalwyr ac mae'n bwysig bod yr holl gysylltiadau'n cyflwyno eu safbwynt eu hunain, hyd yn oed os nad ydyn nhw o'r un farn. Mae gwneud nodiadau ymlaen llaw yn syniad da er mwyn gallu cyflwyno'r darlun llawn i'r aseswr, a hefyd er mwyn i chi allu gofyn cwestiynau perthnasol. Yn benodol, nodwch y math o ofal rydych chi'n ei ddarparu, yr anawsterau a pha fath o help a fyddai'n gwneud pethau'n haws (trowch at dudalen 81 i weld y rhestr).

Y cynllun gofal a chymorth

Ar ôl asesu anghenion gofal yr un sydd â dementia, bydd yr adran gwasanaethau cymdeithasol yn llunio 'cynllun gofal a chymorth'. Mae hwn yn rhoi manylion y gwasanaethau y byddan nhw'n eu darparu, pryd byddan nhw'n cael eu darparu a chan bwy. Dylech chi a'ch perthynas gael copi o'r cynllun (gofynnwch os nad ydych chi wedi cael un). Dylech hefyd fod yn ymwybodol o enw'r un sy'n goruchwylio'r cynllun ac yn sicrhau ei fod yn cael ei weithredu. 'Rheolwr gofal' yw'r enw ar hwn fel arfer a gyda hwn y dylech drafod unrhyw broblemau neu gwestiynau sydd gennych chi neu'ch perthynas.

Wrth i gyflwr eich perthynas ddirywio, bydd ei anghenion yn debygol o newid ac felly mae'n bosibl y bydd angen newid y gwasanaethau y mae'n eu cael hefyd. Bydd y gwasanaethau cymdeithasol yn cynnal adolygiadau o dro i dro, ond bydd angen i chi gadarnhau gyda'r rheolwr gofal a fydd hyn yn digwydd yn awtomatig neu a fydd angen i chi drefnu hynny eich hun. Ond peidiwch â disgwyl am adolygiad os nad yw'r gwasanaethau sydd ar waith yn addas erbyn hyn i anghenion eich perthynas: cysylltwch â'r rheolwr gofal cyn gynted â phosibl.

Talu am wasanaethau

Mewn rhai achosion bydd y gwasanaethau'n rhad ac am ddim, ond gall yr awdurdod lleol godi tâl ar ôl asesu sefyllfa ariannol yr un sydd â dementia a phenderfynu ei fod yn gallu cyfrannu at gost y gwasanaethau sy'n cael eu darparu. Gall y gost amrywio rhwng gwahanol awdurdodau, ond fe ddylen nhw bob amser fod yn 'rhesymol'. Os byddwch chi neu'ch perthynas yn tybio bod y gost yn afresymol, neu os yw hi'n anodd iddo dalu'r costau, cysylltwch eto â'r gwasanaethau cymdeithasol i egluro'r sefyllfa. Efallai y byddan nhw'n gallu codi llai o dâl. Ni ddylid atal y gwasanaeth oherwydd anallu'r person i dalu. Ar ôl asesiad, bydd rhai pobl yn gorfod talu am eu gofal a'u cymorth cartref yn llawn ('hunanariannu'). Serch hynny, rhaid bod ganddyn nhw lefel sylfaenol o incwm yn weddill ac mae Deddf Gwasanaethau Cymdeithasol a Llesiant (Cymru) 2014 yn nodi y dylai taliadau fod yn 'rhesymol'. Yng Nghymru, mae uchafswm wythnosol y mae'n bosibl ei godi am ofal yng nghartref yr un sy'n cael y gofal.

Cwynion

Mewn rhai achosion, gall y rhai sydd â dementia a'u gofalwyr eu cael eu hunain mewn 'brwydr' gyda'r awdurdodau lleol. Gall hyn fod yn rhwystredig ac yn annifyr iawn, yn enwedig â chymaint o bethau eraill i'w hystyried ar y pryd. Fel arfer, mae problemau'n cynnwys anawsterau i drefnu asesiad neu orfod aros am gyfnodau maith am un, heriau wrth drio cael yr awdurdod lleol i gytuno i wasanaethau penodol neu oedi hir cyn iddyn nhw gael eu gweithredu. Yn aml, bydd ychydig o alwadau ffôn, llythyr neu e-bost yn gweithio – weithiau mae diffyg cyfathrebu neu mae pethau'n llithro i waelod y pentwr o bethau i'w gwneud. Ond os na fydd hyn yn gweithio, peidiwch ag ofni cwyno. Mae trefn benodol i'w dilyn wrth wneud cwyn am awdurdod lleol (gallan nhw egluro'r broses i chi), ac os na fydd hynny'n gweithio mae modd cwyno ar lefel uwch, er enghraifft wrth Ombwdsman Gwasanaethau Cyhoeddus Cymru (gweler Cyfeiriadau defnyddiol). Hefyd, gallwch gael cyngor gan weithiwr cymdeithasol, Cyngor Ar Bopeth neu'r Alzheimer's Society. Os oes gennych gŵyn ddilys, peidiwch ag ofni ei lleisio – a byddwch yn gadarn!

Caffis Alzheimer/caffis dementia/caffis cof

Mae caffis dementia'n dod yn fwy a mwy poblogaidd i bobl â dementia a'u gofalwyr. Adeg ysgrifennu'r llyfr hwn (2015), mae dros dri chant o gaffis dementia wedi eu cofrestru yn y DU. Maen nhw'n aml yn cael eu rhedeg fel cymdeithasau agored misol lle y gall unrhyw un mae dementia wedi effeithio arno ddod i wrando ar sgyrsiau neu gyflwyniadau er mwyn dysgu rhagor am yr afiechyd a'i heriau. Agwedd bwysig ar y cyfarfodydd hyn yw'r ochr gymdeithasol pan mae pobl â'r afiechyd a'u gofalwyr yn gallu sgwrsio ag eraill yn yr un sefyllfa. Mae rhai o'r caffis yn cynnig gweithgareddau fel cydganu, sy'n gallu symbylu'r cof yn ogystal â bod yn weithgaredd cymdeithasol pleserus. I ddod o hyd i'r caffi dementia agosaf atoch chi, ewch i www.memorycafes.org.uk.

Gofal seibiant

Trefniant dros dro yw gofal seibiant a chaiff ei drefnu i roi seibiant i'r gofalwr cyson, neu oherwydd bod angen seibiant ar y gofalwr arferol am reswm arall. Efallai fod y gofalwr yn sâl neu'n gorfod mynd i'r ysbyty, neu efallai fod ganddo/ganddi ymrwymiad arall – priodas yn y teulu, er enghraifft. Efallai y bydd eich perthynas yn dymuno aros yn ei gartref ei hun os yw hynny'n ymarferol neu efallai mai arhosiad byr mewn cartref preswyl yw'r ateb gorau. Os ydych chi'n trefnu gofal seibiant, ystyriwch a allech chi gael perthynas neu ffrind i gymryd eich lle am ychydig. Os nad yw hynny'n bosibl, mae nifer o opsiynau eraill. Os yw hi'n bosibl, bydd angen i chi ystyried dymuniadau'ch perthynas ei hun ynglŷn â'r cyfnod seibiant, ei anghenion dyddiol a faint o arian sydd ar gael i'w wario ar ofal seibiant. Mae'n bosibl y gallech ddod o hyd i ofalwr addas yn y cartref drwy'r canlynol:

- Asiantaeth gofal cartref – gall asiantaethau gyflenwi gofalwyr i'r cartref i roi gofal seibiant, ond gall y rhain fod yn gostus. Efallai fod gan yr awdurdod lleol restr o asiantaethau gofal cartref.
- Yr awdurdod lleol – mae'n bosibl bod rhai awdurdodau lleol yn darparu gofal seibiant yn y cartref.
- Gofalwr sydd wedi ei argymell yn bersonol – holwch bobl rydych chi'n ymddiried ynddyn nhw: eich meddyg teulu neu eich nyrs gymunedol, er enghraifft, gofalwyr eraill, neu eich cangen leol o'r Alzheimer's Society.

- 'Pecyn gofal' – dyma derm sy'n cael ei ddefnyddio'n aml i ddisgrifio 'gofal tîm'. Os nad oes angen gofal 24 awr ar eich perthynas, efallai y byddwch yn gallu trefnu pecyn gofal sy'n cynnwys ffrindiau, perthnasau, cymdogion, y gwasanaethau cymdeithasol, asiantaethau gwirfoddol a hyd yn oed ychydig o ofal preifat hefyd.

Dod o hyd i'r un iawn

- Dylech gyfweld â'r ymgeisydd eich hun. Gofalwch fod ganddo rywfaint o brofiad neu ei fod wedi cael hyfforddiant i ofalu am rywun â dementia. Cysylltwch bob tro â'r un sy'n rhoi geirda.
- Byddwch yn glir ynglŷn â dyletswyddau'r ymgeisydd. Felly, er enghraifft, os ydyn nhw'n cynnwys ychydig o waith tŷ cyffredinol neu dasg arall fel mynd â'r ci am dro, gofalwch fod yr ymgeisydd yn hapus i wneud hynny. Gwnewch yn siŵr ei fod yn ymwybodol o'i ddyletswyddau a pha mor aml y bydd angen eu cyflawni.
- Rhowch amser i'r ymgeisydd gyfarfod â'r un sydd â dementia i wneud yn siŵr eu bod yn cyd-dynnu'n iawn a bod y ddau'n hapus â'r trefniadau.
- Gwiriwch statws cyflogaeth yr ymgeisydd – os nad yw ef neu hi'n hunangyflogedig, fe allai problem fod o ran treth neu yswiriant gwladol. Gall Cyngor Ar Bopeth eich cynghori ynglŷn â hyn.

Pan fyddwch wedi dod o hyd i'r un iawn

Os yw hi'n bosibl, mae'n syniad da i'r gofalwr newydd gyfarfod â'ch perthynas ddwywaith neu dair cyn i'r cyfnod seibiant ddechrau. Mae hyn yn rhoi cyfle iddyn nhw ddod i adnabod ei gilydd ac i'r gofalwr dros dro holi ynglŷn ag unrhyw beth nad yw'n siŵr ohono. Hyd yn oed os na fydd y cyfarfodydd hyn yn digwydd, gwnewch yn siŵr eich bod yn rhoi cyfarwyddiadau ac esboniadau clir iawn. Dylai'r rhain gynnwys manylion trefn ddyddiol arferol eich perthynas – pryd mae'n codi, a yw'n hoffi ymolchi a gwisgo ar unwaith neu a yw hi'n well ganddo gael ei frecwast yn gyntaf, a yw'n hoffi mynd am dro, ac ati. Nodwch unrhyw ofynion deiet, yn cynnwys ei hoff bethau a'i gas bethau. Byddwch yn fanwl – yn hytrach na dweud 'Te am 11 y bore', dywedwch 'Te a llaeth ac un llwyaid o siwgr am 11 y bore. Mae'n hoffi'r cwpan melyn'.

Weithiau mae'n gallu bod yn anodd cofio'r holl bethau yr ydych chi (neu ofalwr cyson arall) yn eu gwybod yn dda ac yn eu cymryd yn ganiataol. Felly gwnewch nodiadau am ychydig ddyddiau i ofalu nad ydych yn anghofio dim byd, yn enwedig os yw cyflwr dementia eich perthynas yn weddol ddifrifol a'i bod yn anodd iddo gyfathrebu. Gallai hyn fod yn bwysig iawn, er enghraifft mewn sefyllfa lle mae'r un â dementia'n casáu rhywbeth yn fawr iawn – yn methu goddef cael y teledu neu'r radio ymlaen yn ystod y bore, er enghraifft. Gallai'r gofalwr dros dro droi'r radio ymlaen yn hollol ddiniwed i wrando ar ychydig gerddoriaeth wrth baratoi cinio. Mae'r un sydd â dementia yn dechrau teimlo'n ofidus, yn ffwdanus ac o bosibl yn anodd ei drin, ac efallai na fydd y gofalwr, druan, yn sylweddoli beth yw'r broblem am dipyn. Bydd nodi'r holl fanylion bach hyn yn drafferthus, ond byddan nhw'n werthfawr yn y pen draw, ac wrth gwrs, gallwch ddefnyddio'r un rhestr ar gyfer gofalwyr yn ystod cyfnodau seibiant yn y dyfodol. Os yw'ch perthynas wedi creu llyfr stori bywyd (trowch at dudalen 53) bydd hwn yn ddefnyddiol iawn ar gyfer y gofalwr dros dro, ac yn destun sgwrs.

Peidiwch ag anghofio gadael rhestr o rifau ffôn pwysig (e.e. y feddygfa), yn ogystal â manylion cyswllt aelodau eraill o'r teulu neu ffrindiau y gallai'r gofalwr gysylltu â nhw petai unrhyw broblem yn codi.

Gofal dros dro y tu hwnt i'r cartref

Efallai mai dyma'r ateb mwyaf ymarferol, ond gall gofal y tu hwnt i'r cartref fod ychydig yn fwy anodd i'ch perthynas, yn bennaf oherwydd y bydd yr amgylchiadau newydd yn anghyfarwydd ac y bydd yn ddryslyd ynglŷn â pham y mae'n rhaid iddo aros yn rhywle arall. Eglurwch mai trefniant dros dro yn unig yw hwn tra ydych chi (neu'r prif ofalwr) yn cael seibiant, yn ymweld â pherthynas arall, yn mynd i mewn i'r ysbyty neu beth bynnag yw'r rheswm. Os yw'ch perthynas yn siomedig, trïwch ei gysuro drwy egluro mai dim ond am gyfnod byr y bydd yno, ond cadwch yn dawel ac yn gadarn – peidiwch â theimlo'n euog am gymryd seibiant!

Ewch i weld y lle ymlaen llaw – gorau oll os bydd hynny yng nghwmni'r un sydd â dementia er mwyn i chi'ch dau allu bod yn siŵr ei fod yn addas ac yn gallu cwrdd â'i anghenion. Fel yn achos cartref gofal, mae hysbysu'r staff o hoff drefn ddyddiol eich perthynas, ei hoff bethau a'i gas bethau ac ati, yn syniad da. Bydd ddangos y llyfr stori bywyd, os oes ganddo un, yn ddefnyddiol hefyd, gan y bydd hwn yn helpu staff i'w ddeall ac i ffurfio perthynas.

Os yw'ch perthynas yn gallu symud yn gymharol hwylus a heb fod yn rhy ddryslyd, gall cartref sy'n cynnig gofal preswyl fod yn ddigonol.

Bydd staff fel arfer yn helpu gydag ymolchi, gwisgo a mynd i'r tŷ bach, yn ogystal ag adeg bwyd yn ôl yr angen. Ond os yw ei gyflwr yn fwy difrifol, os yw'n ddryslyd iawn, yn cael anhawster wrth symud o gwmpas neu'n gwlychu ac yn baeddu'n ddifrifol, efallai y bydd angen i chi ddod o hyd i gartref sy'n rhoi gofal nyrsio. Gall cartrefi sy'n cynnig gofal nyrsio fod yn fwy costus na chartrefi preswyl, ond mae ffioedd yn amrywio'n sylweddol, felly edrychwch ar sawl cartref.

Bydd asesiad gofal yn y gymuned yn sefydlu'r lefel o ofal y mae ei angen. Os bydd yr asesiad yn dangos bod angen gofal tymor byr ar eich perthynas, a'i fod yn gymwys, bydd yr awdurdod lleol yn ei ddarparu, er y gallai ofyn am gyfraniad tuag at y gost. Bydd yn asesu faint mae'ch perthynas yn gallu fforddio'i dalu'n rhesymol drwy ystyried ei incwm a'i gyfalaf. Dylai'r swm fod yn 'rhesymol' bob amser. Yn achos rhywun mae angen lefel uchel o ofal arno, yn enwedig yn ystod cyfnod mwy diweddar dementia, mae'n bosibl y gall y GIG ddarparu gofal tymor byr. Gofynnwch i'ch meddyg teulu am hyn. Mae gwasanaethau'r GIG yn rhad ac am ddim, ond gall unrhyw arhosiad fel 'claf mewnol' effeithio ar ei fudd-daliadau.

Cyn i'r cyfnod seibiant ddechrau

Mae'n bosibl y bydd eich perthynas yn siomedig eich bod chi neu ofalwr arall yn mynd i ffwrdd am gyfnod ac os bydd y gofal seibiant yn rhywle heblaw am yn ei gartref ei hun, efallai y bydd yn ofidus iawn am nad yw'n deall beth sy'n digwydd. Trïwch leihau'r gofid ond peidiwch â theimlo'n euog am y sefyllfa. Nid oes dim yn hunanol mewn bod ag eisiau ychydig o amser i chi'ch hun, ac fe allech fod yn peryglu eich iechyd eich hun o beidio â chymryd ambell seibiant.

Cynghorion i osgoi gofid:

- peidiwch â sôn am y trefniadau ormod ymlaen llaw (ond peidiwch â gadael popeth tan y funud olaf, chwaith!)
- pan ddaw'r amser, cyfeiriwch ato fel 'gwyliau bach' os bydd yn cysgu oddi cartref neu fel 'newid braf' os yw'n aros gartref gyda gofalwr gwahanol; soniwch am y cyfnod seibiant mewn ffordd gadarnhaol
- dywedwch wrth eich perthynas y bydd yn cael y gofal gorau ac y bydd pethau'n ôl i'r drefn arferol cyn bo hir
- trïwch beidio â dangos unrhyw bryder nac ansicrwydd wrth i chi ei adael – os ydych chi dan bwysau, bydd yn synhwyro hynny. Byddwch yn bwyllog a digynnwrf gan roi atebion clir a syml i unrhyw gwestiwn a thawelu ei feddwl heb achosi gormod o ffwdan.

9

Gofal preswyl parhaol

Fel rydym ni wedi gweld, mae nifer mawr o wasanaethau ar gael i gefnogi pobl â dementia ac i'w helpu i barhau i fyw bywyd annibynnol. Y dewis mwyaf manteisiol fel arfer yw helpu pobl i aros yn eu cartrefi eu hunain am gymaint o amser â phosibl. Ond, wrth i'r cyflwr ddirywio, bydd amser yn dod pan na fydd hyn yn ddewis ymarferol na synhwyrol. Dyma pryd mae'n dod yn glir, hyd yn oed gyda chefnogaeth teulu a gofalwyr proffesiynol, fod y person yn methu ymdopi bellach heb ryw berygl i'w iechyd, ei ddiogelwch a'i les. Gallai'ch perthynas symud i fyw gyda chi neu berthynas arall am ychydig, ond efallai mai dim ond ateb tymor byr fyddai hynny, yn dibynnu ar faint o help a chefnogaeth y bydd eu hangen arno. Mae'n bosibl y bydd awgrymu gofal parhaol mewn cartref preswyl yn ei ypsetio, ond ni ddylech chi deimlo'n euog am awgrymu'r peth. Bydd gan gartref da staff sydd wedi'u hyfforddi i ofalu am bobl â dementia a bydd yn gallu cynnig gofal mwy arbenigol na'r ffrind neu'r perthynas mwyaf triw.

Pwy sy'n talu?

Ar ôl trefnu asesiad o'r anghenion gofal diweddaraf i weld faint o ofal y mae ei angen arno, bydd eich rheolwr gofal yn trefnu asesiad ariannol. Bydd hwn yn ystyried incwm fel pensiynau, lwfansau fel Taliad Annibyniaeth Personol a Lwfans Byw i'r Anabl ac incwm gan fuddsoddiadau neu eiddo, yn ogystal â chynilion a chyfalaf. Bydd yr aseswr yn defnyddio'r darlun cyfan i benderfynu faint y dylai'ch perthynas ei gyfrannu tuag at gost gofal preswyl, os dylai gyfrannu o gwbl. Os yw'r gofal yn mynd i fod yn ofal parhaol, efallai y bydd gwerth cartref eich perthynas yn cael ei ystyried, ond nid os yw'r gŵr neu'r wraig yn byw yno o hyd.

Mae Deddf Gwasanaethau Cymdeithasol a Llesiant (Cymru) 2014 yn canolbwyntio ar gryfderau ac annibyniaeth pobl. Fel rhan o hyn, mae'r Ddeddf yn dweud ei bod yn rhaid i bobl allu cael mynediad i wybodaeth a chyngor o ansawdd da o'r tro cyntaf un y byddan nhw'n cysylltu â'r awdurdod lleol. Mae hyn yn cynnwys helpu pobl i gael cyngor ariannol annibynnol, neu wybodaeth am gostau gofal a ffyrdd o dalu, felly gofynnwch i'ch awdurdod lleol ynglŷn â hyn os ydych yn ei chael hi'n anodd deall ffioedd neu eu talu.

Edrychwch hefyd ar amrywiaeth eang o daflenni'r Alzheimer's Society sy'n sôn am ofalu am rywun â dementia, talu am ofal a chymorth, a llawer o agweddau eraill o safbwynt byw gyda dementia.

Dewis cartref gofal

Yn ôl yr Alzheimer's Society, mae rhyw fath o ddementia ar ddwy ran o dair o drigolion cartrefi gofal y DU, felly mae'n amlwg yn flaenoriaeth o safbwynt gofal i'r sector cartrefi gofal. Wrth ddewis cartref, y peth cyntaf y bydd angen i chi ei ystyried yw a oes angen cartref gofal neu gartref nyrsio ar eich perthynas. Bydd hyn yn dibynnu ar lefel y gofal angenrheidiol. Efallai mai cartref preswyl fyddai'n addas i rywun sy'n ei chael hi'n anodd gofalu amdano'i hun oherwydd problemau gyda'r meddwl, ond sy'n dal i allu ymdopi'n gymharol dda gyda lefel uwch o oruchwyliaeth a chefnogaeth nag a fyddai ar gael gartref. Mae gan gartref nyrsio staff nyrsio cymwys sy'n gweithio 24 awr y dydd, ac felly mae'n fwy addas i'r rhai y mae angen gofal nyrsio mwy penodol arnyn nhw, er enghraifft pobl sydd wedi cael strôc neu sydd â phroblemau iechyd difrifol eraill, yn cynnwys methiant difrifol ar y galon, diabetes neu arthritis. Gall cartref nyrsio hefyd fod yn fwy addas i bobl â dementia difrifol sydd ag anghenion corfforol ac ymddygiadol mwy cymhleth. Mae gan ambell gartref preswyl adain nyrsio, sy'n golygu y gall unrhyw un o'r trigolion gael ei symud yno petai ei gyflwr yn dirywio, yn hytrach na gorfod ei symud i ysbyty.

Beth i chwilio amdano

Wrth ddechrau edrych ar opsiynau gofal preswyl, edrychwch ar nifer o gartrefi gwahanol gyda disgwyliadau uchel. Dylai cartref gofal da fod yn canolbwyntio ar yr unigolyn. Mae hyn yn golygu y dylai'r staff drin yr un sydd â dementia ag urddas a pharch bob amser, sy'n cynnwys parchu ei breifatrwydd; dylai gael ei drin fel unigolyn, gan ganolbwyntio ar rinweddau personol, galluoedd, diddordebau, hoffterau ac anghenion, yn hytrach nag ar y salwch a'i symptomau. Dylai'r cartref anelu at gael y gorau allan o'r trigolion sydd â dementia, gan gyfoethogi ansawdd eu bywydau gymaint â phosibl.

Gofynnwch am weld 'datganiad cenhadaeth' y cartref. Datganiad ysgrifenedig yw hwn o athroniaeth y cartref ac fe ddylai ei gwneud hi'n haws gweld a yw'r cartref yn cyrraedd ei safonau ei hun. Yn aml, mae datganiad cenhadaeth y cartref ar ei wefan.

Dylai pob aelod o staff fod wedi'i hyfforddi i ddeall y problemau mae'n rhaid i bobl â dementia eu hwynebu, yn enwedig o safbwynt cyfathrebu, ac fe ddylai fod yn gallu eu helpu i gyfleu eu hanghenion. Hyd yn oed os yw eich perthynas yng nghyfnod diweddarach dementia, gofalwch fod y staff yn ymwybodol o sut mae'n well ganddo gael ei gyfarch – er bod llawer ohonom bellach yn ddigon parod i ddefnyddio ein henwau bedydd gyda meddygon, cyfreithwyr a rheolwyr banc, mae llawer o bobl hŷn yn dal i deimlo'n anghyfforddus gyda'r fath lefel o anffurfioldeb. Yn yr un modd, gall galw rhywun yn 'cariad' neu'n 'calon' fynegi anwyldeb, ond os yw hi'n well gan eich perthynas gael ei gyfarch fel 'Mr' neu 'Mrs', gofynnwch i'r staff (yn garedig wrth gwrs!) barchu hyn.

Dylech ddisgwyl i'r staff a rheolwr y cartref eich croesawu chi a bod yn awyddus i ateb unrhyw gwestiynau neu bryderon sydd gennych. Dylai pob un o'r trigolion fod ag o leiaf un aelod o staff sy'n bennaf gyfrifol am ei ofal, er y dylai aelodau eraill y staff hefyd allu deall ei anghenion a'u diwallu. Dylai fod gan y gofalwr ddarlun clir o hanes bywyd eich perthynas, hoff bethau a chas bethau, arferion, beth sydd orau ganddo a diddordebau arbennig. Gall llyfr stori bywyd fod yn ddefnyddiol yn hyn o beth (t. 53). Dylai amrywiaeth o weithgareddau fod ar gael fel bod rhywbeth addas i bawb a digon o gyfleoedd i gymdeithasu â phreswylwyr eraill, yn ogystal ag amser i sgwrsio â staff. Dylai ymwelwyr allu dod ar unrhyw adeg resymol o'r dydd.

Rhai pethau i'w hystyried wrth ddewis cartref:

- Y lleoliad – pa mor hawdd y bydd hi i deulu a ffrindiau ymweld â'r lle?
- Ydy'r cartref yn arbenigo mewn gofal dementia? Os nad yw, ydy'r staff wedi cael digon o hyfforddiant i fodloni anghenion rhywun â dementia?
- Beth yw'ch argraffiadau cyntaf? Ydy'r lle'n lân ac yn daclus? A oes gardd yno i'r trigolion ei mwynhau?
- Sut awyrgylch cyffredinol sydd yno?
- Ydy'r trigolion yn ymddangos yn hapus ac yn gyfforddus?
- Ydy'r staff yn ymddangos yn hapus ac yn ddigynnwrf?

- Ydyn nhw'n gyfeillgar ac yn cyfathrebu'n dda â'r trigolion?
- Ydyn nhw'n curo ar ddrysau'r trigolion cyn mynd i mewn i'w hystafelloedd?
- A oes digon o staff ar ddyletswydd? Gallai prinder staff fod weithiau oherwydd salwch, ond dylai digon o staff fod ar gael adeg gwyliau ac afiechyd mwy hir dymor, felly ni ddylai prinder staff fod yn broblem barhaus.
- Sut ystafelloedd sydd yno? Ydyn nhw'n gyfforddus ac yn gartrefol?
- A oes ystafelloedd en-suite yno ac os nad oes, a oes digon o doiledau ac a ydy hi'n rhwydd mynd atyn nhw?
- A oes modd i'ch perthynas ddod â'i eiddo ei hun o'i gartref? Efallai ambell ddodrefnyn bach?
- A oes dewis o brydau bwyd? Gofynnwch am weld enghreifftiau o fwydlenni. A fyddwch chi'n gallu cael ambell bryd o fwyd gyda'ch perthynas? Trïwch weld yr ystafell fwyta adeg prydau bwyd. Ydy'r trigolion yn cael help yn ôl yr angen? Ydyn nhw'n cael eu hannog i fwyta ac yfed mewn modd cyfeillgar a phwyllog?
- A oes croeso i bartneriaid y trigolion aros dros nos gyda nhw weithiau os ydyn nhw'n dymuno gwneud hynny?

Wrth gwrs, mae'n bosibl nad yw hyd yn oed y cartrefi gorau'n berffaith bob amser – efallai y byddwch wedi digwydd ymweld ar ddiwrnod pan mae hanner y staff i ffwrdd o'u gwaith oherwydd ffliw, mae anhwylder ar stumog hanner y trigolion, mae'r pen-cogydd heb ddod neu mae'r pianydd a oedd yn mynd i ddod i berfformio yno yn ystod y prynhawn wedi syrthio a thorri ei arddwrn. Mae pawb yn cael diwrnodau gwael! Serch hynny, byddai disgwyl i lawer o'r problemau hynny fod wedi eu datrys erbyn ail ymweliad, felly os yw'r lle'n brin o staff ac yn drewi, os mai brechdan past pysgod yw'r prif bryd bwyd a'r unig adloniant yw gwylio sianel deledu sy'n fwy addas i'r gofalwyr nag i'r trigolion, efallai y byddai'n werth i chi ystyried y cartref nesaf ar eich rhestr.

Mae'r Comisiwn Ansawdd Gofal (CQC: *Care Quality Commission*) yn archwilio pob cartref gofal yn gyson (gweler Cyfeiriadau defnyddiol). Cyn penderfynu'n derfynol, edrychwch ar adroddiadau archwiliadau diweddaraf y darpar gartref. Ynddyn nhw, mae tipyn o fanylder am yr hyn mae'r cartref yn ei wneud yn dda, gwelliannau posibl ac a oes unrhyw faterion sy'n achosi pryder.

Beth os nad yw'ch perthynas am fynd i gartref?

Nid oes llawer o bobl yn dyheu am gael symud i gartref gofal preswyl (er bod y rhan fwyaf yn hapus iawn unwaith iddyn nhw symud i mewn). Un o'r prif ofnau yw y byddan nhw'n cael eu hanghofio – efallai y bydd eich perthynas yn ofni eich bod chi wedi 'ei roi mewn cartref' oherwydd nad ydych chi'n ei garu mwyach neu nad ydych chi'n dymuno gofalu amdano. Trïwch ei sicrhau eich bod chi yn ei garu ac mai dyma'r ffordd orau iddo gael y gofal arbenigol y mae ei angen arno. Peidiwch â dweud pethau fel 'Does dim dewis arall' neu 'Alla i ddim ymdopi â gofalu amdanat ti mwyach'; yn hytrach, canolbwyntiwch ar yr agweddau cadarnhaol – y gweithgareddau, y cyfleoedd i wneud ffrindiau newydd, y cysur o gael staff arbenigol wrth law 24 awr y dydd. Cyn codi'r pwnc, mae gwneud ychydig ymchwil ymlaen llaw yn syniad da hefyd; drwy wneud hynny, mae'n bosibl i chi roi syniad gwirioneddol i'ch perthynas o'r hyn sydd i'w ddisgwyl. Yn ddelfrydol, gallech ymweld â'r cartref gyda'ch gilydd er mwyn iddo yntau gael cyfle i fynegi barn. Efallai y byddai'n haws iddo addasu petai wedi cael cyfle i aros yn y cartref am gyfnod prawf (trowch at dudalen 85, yr adran am ofal seibiant), felly trïwch drefnu hyn.

Beth os oes gennych gŵyn?

Yn anffodus, gall hyd yn oed y cartrefi sy'n ymddangos fel petaen nhw'n cael eu rhedeg yn dda ddisgyn o dan y safonau gofal derbyniol. Gall staff gofal, sydd weithiau wedi'u hyfforddi'n wael ac yn aml ar gyflog isel, fod yn gorweithio ac yn 'rhy brysur' i ofalu am ofynion y trigolion yn iawn. Mae hyn yn arwain at esgeulustod corfforol a chymdeithasol cyffredinol. Mewn rhai achosion, gall staff fod yn amharchus, yn nawddoglyd neu'n anghwrtais, ac ar eu gwaethaf yn sarhaus ar lafar, yn seicolegol ac yn gorfforol. Mae pobl â dementia'n agored i bob math o sarhad a chafwyd rhai achosion o gam-drin difrifol mewn nifer bach o gartrefi, sy'n achosi pryder mawr. Os oes gennych chi neu ymwelwyr eraill unrhyw bryderon, peidiwch â gadael i neb eich darbwyllo i beidio â darganfod beth sy'n digwydd. Bydd cartref gofal sy'n gwneud ei orau i ddarparu'r gofal gorau yn ei weld hi'n dderbyniol iawn eich bod yn tynnu sylw at unrhyw wendidau ac yn gweld hyn yn gyfle i wella. Os ydych yn bryderus, i ddechrau dylech drafod eich pryderon â rheolwr y cartref gofal.

•

Weithiau, efallai y bydd awgrym adeiladol gennych yn datrys y broblem – dyma enghraifft:

Roedd Dorothy, mam Pauline, wedi bod yn lled hapus yn ei chartref preswyl am rai misoedd pan sylwodd Pauline fod ei mam ychydig yn ddigalon ac yn colli pwysau, er ei bod hi'n aml yn cael bisgeden neu ddarn o gacen gyda'i the. Dechreuodd Pauline ymweld â hi adeg prydau bwyd a dyna pryd sylwodd fod Dorothy ddim ond yn bwyta pethau bach roedd hi'n gallu eu codi â'i bysedd – doedd hi ddim yn cyffwrdd ag unrhyw beth mawr, fel darn o bastai neu sleisen fawr o gig. Daeth i'r amlwg fod yr arthritis yn nwylo Dorothy wedi gwaethygu, ac roedd hi'n amhosibl iddi ddefnyddio cyllell a fforc.

Soniodd Pauline wrth y goruchwyliwr gofal am hyn. Rhoddodd y cartref gyllell a fforc i Dorothy, wedi'u cynllunio'n bwrpasol ar ei chyfer. Hefyd, pennwyd aelod o staff i dorri'r bwyd yn ddarnau bach a gofalu bod Dorothy'n dod i arfer â'i chyllell a'i fforc newydd. Gwellodd hwyliau Dorothy (roedd hi'n mwynhau ei bwyd erioed!) a chyn bo hir fe enillodd y pwysau'n ôl.

Os nad yw hyn yn addas yn eich achos chi ac os nad yw canlyniad eich cwyn wreiddiol yn dderbyniol, gofynnwch am gopi o drefn gwyno'r cartref – mae'n ddyletswydd gyfreithiol ar bob cartref i gael trefn gwyno syml a hygyrch. Gallwch benderfynu wedyn a ydych chi'n mynd i wneud cwyn swyddogol. Dylid delio â chwynion yn gyflym neu o leiaf cyn pen uchafswm o 28 diwrnod. Yn ogystal ag ymchwilio i'r digwyddiad penodol yr ydych chi'n cwyno amdano, dylai trefn gwyno effeithiol hefyd adnabod gwendidau er mwyn gallu gweithredu i rwystro unrhyw beth tebyg rhag digwydd eto. Dylai'r cartref gadw cofnod o gwynion, gan gynnwys manylion yr ymchwiliad ac unrhyw gamau a gymerwyd yn sgil hynny. Dylai'r wybodaeth hon fod ar gael i'r un sy'n cwyno, rhag ofn y bydd ef neu hi'n dymuno cyfeirio'r cofnod at y Comisiwn Ansawdd Gofal (gweler Cyfeiriadau defnyddiol) yn uniongyrchol.

Yn y rhan fwyaf o gartrefi preswyl, mae'r staff sy'n gofalu am bobl â dementia wedi'u hyfforddi'n dda, yn ymroddedig i'w swyddi ac yn benderfynol o gynnig y gofal gorau posibl. Felly y dylai fod ym mhob cartref gofal, wrth gwrs.

Cadw mewn cysylltiad pan mae'ch perthynas mewn gofal preswyl

Mae'n bwysig iawn cynnal perthynas pan fydd rhywun yn symud i ofal preswyl, felly wrth ddewis cartref bydd angen i chi feddwl pa mor aml y byddwch chi'n gallu ymweld, a'r dulliau eraill sydd ar gael i gysylltu â'ch perthynas. A oes ffôn i drigolion, er enghraifft? Mae cadw cysylltiad ag aelodau eraill o'r teulu a ffrindiau'n bwysig, rhag i bawb ymweld ar yr un pryd. Fel arfer, mae'n well i'ch perthynas gael ymweliadau cyson gan un ymwelydd ar y tro yn hytrach nag ymweliadau nawr ac yn y man gan y teulu cyfan. Wrth ymweld, cofiwch mai dyma'i gartref bellach, felly nid yw ymweliad yn debyg i 'amser ymweld' ysbyty, pan fyddwch yn mynd i mewn, yn eistedd wrth y gwely, yn gofyn sut mae'n teimlo, yn bwyta'i rawnwin ac yn gadael. Fe ddylai fod yn bosibl treulio bore neu hyd yn oed ddiwrnod cyfan gyda'ch perthynas. Ewch ag ef am dro, os yw'n bosibl; bwytewch ginio gyda'ch gilydd; cymerwch ran yng ngweithgareddau'r prynhawn a chyfarfod â'i ffrindiau newydd. Os mai chi oedd y prif ofalwr tan nawr, efallai y byddwch yn teimlo bod y berthynas rhyngoch bellach yn fwy hamddenol a chyfoethog oherwydd eich bod wedi trosglwyddo'r cyfrifoldeb am ei anghenion pob dydd.

10

Ymdopi â bod yn ofalwr

Dyma bwnc sy'n haeddu llyfr cyfan iddo'i hun ac mae nifer o lyfrau ardderchog ar gael arno (trowch at dudalen 113, Darllen pellach), felly ofer yw trafod pob agwedd ar ofalu am rywun – y pleser a'r her – mewn lle mor gyfyng â hwn. Yn hytrach, dyma geisio rhoi amlinelliad o rai o'r pethau sy'n gallu effeithio, i ryw raddau, ar y rhan fwyaf o bobl sy'n gofalu am rywun â dementia.

Gallech fod yn gofalu am eich cymar, perthynas neu aelod o'ch teulu yng nghyfraith, neu ffrind neu gymydog annwyl. Efallai i chi ddewis gofalu oherwydd eich bod yn teimlo mai dyna sydd i'w ddisgwyl, oherwydd does neb arall i wneud y gwaith neu oherwydd eich bod yn teimlo dyletswydd i'w wneud; efallai eich bod yn teimlo bod y profiad yn un gwerth chweil ac yn rhoi boddhad, er iddo achosi blinder, neu efallai eich bod yn ei chael hi'n anodd a rhwystredig, yn enwedig os yw'ch perthynas â'r un yr ydych yn gofalu amdano wedi bod yn anodd erioed. Mae profiad pawb o ofalu'n wahanol, ond i'r rhan fwyaf mae'n gyfuniad o nifer o emosiynau. Mae rhai teimladau sy'n gyffredin i bawb, a gall deall yr amrywiaeth o emosiynau normal eich helpu i fynd trwy gyfnod yn eich bywyd sy'n debygol o fod yn heriol.

Sut mae gofalu am rywun yn gallu effeithio arnoch chi a'ch teulu

Bydd llawer yn dibynnu ar lefel y cyfrifoldeb sydd arnoch. Ydy eich rôl yn golygu galw bob dydd i wneud yn siŵr nad yw eich perthynas wedi anghofio bwyta cinio neu a ydych chi'n gyfrifol am lefel uwch o ofal, yn cynnwys gofal personol fel helpu gyda bwydo, ymolchi a gwisgo? Hyd yn oed os yw'r cyfnod yr ydych yn ei dreulio'n helpu eich perthynas yn gorfforol yn gymharol fyr, efallai y byddwch chi'n dal i deimlo dan bwysau wrth orfod trefnu, cynllunio a chofio popeth dros y ddau ohonoch.

Ai chi yw'r unig ofalwr, neu a ydych chi'n rhannu'r cyfrifoldeb ag aelodau eraill o'r teulu neu ffrindiau? Os ydych chi'n teimlo ei bod hi'n annheg fod cymaint o'r baich yn disgyn arnoch chi, rydych chi'n debygol o deimlo'n ddig ac yn chwerw tuag at aelodau eraill o'r teulu, neu o bosibl at eich perthynas. I ddechrau, ystyriwch pam mai chi sy'n gwneud cymaint o'r gwaith. Efallai nad yw eraill yn sylweddoli cymaint o waith sydd i ofalu am rywun â dementia. Efallai eu bod nhw'n gyndyn o gynnig help rhag ofn i chi feddwl eu bod nhw'n 'busnesu' neu'n awgrymu eich bod chi'n methu ymdopi. Efallai eu bod nhw'n eich gweld chi'n bwrw ymlaen yn ddigon hwylus â phethau ac yn meddwl bod popeth yn iawn. Mewn rhai achosion, maen nhw'n sylweddoli ei bod hi'n anodd ac yn gwybod eich bod chi'n cael trafferth ymdopi, ond maen nhw'n dewis anwybyddu'r broblem. Beth bynnag yw'r sefyllfa yn eich achos chi, os ydych chi'n teimlo'n chwerw, yn flinedig, yn rhwystredig neu fod rhywrai'n cymryd mantais arnoch, mae angen i chi fynd i'r afael â'r teimladau hyn a siarad â'r lleill sy'n rhan o'r sefyllfa, gan na fydd pethau'n gwella heb wneud dim.

Mae trefnu cyfarfod teuluol cyn gynted ag y byddwch chi'n cael diagnosis o ddementia yn syniad da. Wedyn mae'n bosibl cynllunio ymlaen llaw, gyda'ch perthynas ei hun yn gallu mynegi barn am ba fath o ofal a fyddai orau ganddo. Ond hyd yn oed pan fydd cynlluniau wedi'u cytuno ar gyfer rhannu'r baich, efallai na fydd y rhain yn cael eu dilyn pan fydd y sefyllfa'n dod yn un go iawn. Neu efallai y bydd lefel y gofal yn cynyddu, fel bod yr hyn yr oedd hi'n hawdd ymdopi ag ef ar y dechrau'n raddol droi'n ormod o faich i un.

Mewn rhai achosion, mae gan berthnasau ragdybiaethau annheg ynglŷn â phwy ddylai gymryd baich y gofal. Yn draddodiadol, rôl merched yw 'gofalu'; mae merched yn emosiynol abl ac wedi eu 'rhaglennu' yn naturiol i wneud hyn. Gall merch sengl fod yn ddewis 'amlwg' i fod yn brif ofalwr; wedi'r cyfan, beth arall sydd ganddi i'w wneud? Rhaid herio'r ffordd hon o feddwl, hyd yn oed os bydd hynny'n arwain at wrthdaro yn eich teulu. Os oes angen help ar eich perthynas, am 20 awr yr wythnos, efallai, nid oes rheswm pam y dylai fod yn fwy priodol i ferch sengl roi'r gorau i'w swydd a'i bywyd cymdeithasol hi i wneud hynny nag yw hi i'w brawd priod. Dylai rhannu'r gofal fod yn bosibl. Efallai na fydd hi'n bosibl i'r ddau wneud deg awr yr un bob wythnos. Ond fe ddylai fod yn bosibl dod i drefniant sy'n helpu pawb i barhau â rhywfaint o'i fywyd gwaith a'i fywyd cymdeithasol, hyd yn oed os yw hynny'n golygu ei bod yn rhaid gweithio'n rhan amser neu golli ambell noson allan.

Mae'n bosibl, wrth gwrs, y byddwch chi'n penderfynu rhoi'r gorau i'ch swydd a bod yn ofalwr llawn-amser, ond hyd yn oed wedyn nid yw hyn yn golygu mai eich cyfrifoldeb chi'n llwyr yw gofalu am eich perthynas. Bydd angen cyfnodau o seibiant arnoch, rhai byr a rhai hirach. Efallai y bydd mwy o'u hangen arnoch chi nag ar rywun mewn swydd bwerus. Peidiwch byth â thanbrisio gwerth eich gwaith yn gofalu, a'r niwed posibl, corfforol ac emosiynol, i'ch iechyd. O safbwynt cael gweddill y teulu – a'r gwasanaethau cymdeithasol – i sylwi, yr ateb yw cael trafodaethau agored a gonest. Os na fyddwch yn dweud eich dweud, bydd pawb yn credu eich bod yn ymdopi'n iawn.

Colled a galar

Yn anffodus, wrth i'r dementia ddirywio, bydd personoliaeth eich perthynas hefyd yn pylu, ac rydych chi'n debygol o deimlo colled a galar dwys am yr un yr oeddech yn ei adnabod a'i garu. Oherwydd natur y salwch, mae'n debyg i gyfres o fân golledion; wrth i chi ddod i delerau ag un cyfnod yn y salwch, mae galluoedd eich perthynas yn dirywio rhagor a'i ymddygiad yn newid unwaith eto, gan achosi rhagor o alar. Yn dibynnu ar natur eich perthynas â'r person, efallai y byddwch chi'n teimlo colled ar ôl y dyfodol yr oeddech chi wedi'i gynllunio gyda'ch gilydd a'r cyfeillgarwch a rannwyd gennych dros y blynyddoedd. Mae'n bosibl hefyd y byddwch chi'n galaru am eich swydd, am sicrwydd ariannol neu am eich ffordd o fyw o'r blaen. I berthnasau, mae'n gallu teimlo fel profedigaeth gynamserol, gyda'r anhawster ychwanegol o fethu cymryd amser i ffwrdd i ddod dros y golled, oherwydd mae'n rhaid i chi ofalu amdano bob dydd, gan ddyheu drwy'r amser am ei gael yn ôl fel yr oedd. Rhowch gyfle i chi'ch hun deimlo'n drist; mae'n sefyllfa drist.

Cysylltiadau eraill

Os ydych chi'n treulio llawer iawn o amser yn gofalu am berthynas neu ffrind â dementia, gall hyn effeithio ar eich perthnasoedd personol eich hun. Efallai y bydd eich cymar yn teimlo'n chwerw ac wedi ei esgeuluso, neu hyd yn oed yn ddig gyda chi am dreulio cymaint o amser ac egni'n gofalu am les y llall. Nid oes ateb rhwydd i'r broblem yma, ond fe allech helpu gryn dipyn drwy sgwrsio â'ch cymar am y broblem. Os ydych chi'n ymateb yn amddiffynnol i wrthwynebiadau eich cymar neu'n codi eich llais, mae'r sefyllfa'n debygol o fynd dros ben llestri.

Trïwch drafod y mater pan fydd y ddau ohonoch chi'n teimlo'n dawel eich meddwl ac wedi ymlacio, yn hytrach nag yn syth ar ôl i chi ddod adref ar ôl diwrnod caled. Byddwch yn onest ynglŷn â'ch teimladau, gan annog eich cymar i fod yr un mor onest. Trïwch beidio â dweud rhywbeth negyddol, felly yn hytrach na dweud, 'Byddai'n dda gen i petait ti ddim yn swnian o hyd am yr holl amser rwy'n ei dreulio gyda Mam', beth am drio, 'Byddwn i wrth fy modd yn gallu treulio rhagor o amser gyda ti – rwy'n gweld eisiau bod gartref gyda ti fin nos – ond ar hyn o bryd, mae angen fy help i ar Mam'?

Gall cyfeirio'n ofalus at rieni eich cymar ei helpu i ddeall y sefyllfa'n well. Peidiwch â gweiddi, 'Sut fyddet ti'n teimlo petai dy fam di yn yr un sefyllfa?' Yn hytrach, dywedwch rywbeth tebyg i, 'Rwy wir yn gobeithio na fydd angen yr un math o ofal ar dy fam ag sydd ei angen ar fy mam i ar hyn o bryd, ond petai hynny'n digwydd, rwy'n gobeithio y byddwn i'n gallu deall a dy gefnogi di wrth i ti ofalu amdani hi.' Gall rhannu teimladau â'ch cymar helpu hefyd: 'Ydw, rwy'n teimlo'n flin ac yn chwerw ynglŷn â hyn. Rwy mor falch 'mod i'n gallu trafod y sefyllfa gyda ti.'

Peidiwch â gadael i'r problemau gyda'ch perthynas fynd o ddrwg i waeth. Os oes angen, cysylltwch â'r gwasanaeth cymodi Relate (gweler Cyfeiriadau defnyddiol). Mae gan ymgynghorwyr Relate ddigon o brofiad o helpu cyplau sy'n mynd drwy amser anodd yn eu bywydau.

Gofalu am eich iechyd chi eich hun

Amcangyfrifir bod hyd at ddwy ran o dair o ofalwyr yn dioddef o iselder ar unrhyw adeg (trowch at dudalen 46 am arwyddion a symptomau iselder). Gall eich iechyd corfforol ddioddef hefyd – gall blinder eithriadol, gofid ac arferion bwyta gwael effeithio'n ddifrifol ar eich system imiwnedd gan arwain at heintiau ac ati. Gall helpu i godi rhywun i mewn ac allan o'r gwely wneud drwg i'ch cefn, a gall straen achosi cur pen, diffyg cwsg a phroblemau gyda'r stumog a'r croen.

Maen nhw'n dweud yn aml fod pobl sy'n gofalu am rywun â dementia yn gallu dioddef o fath o straen sy'n debyg i'r straen sydd ar rieni plant ifanc. Gallai hyn fod oherwydd bod rhywfaint o'r ymddygiad sy'n nodweddu clefyd Alzheimer a mathau eraill o ddementia yn debyg iawn i'r ymddygiad sydd fwyaf anodd i rieni plant ifanc, h.y. deffro yn ystod y nos, gwlychu a baeddu, holi cyson, dilyn drwy'r amser. Yn yr un modd ag y mae rhieni newydd yn cysuro'u hunain ac yn cael cefnogaeth feddyliol drwy sgwrsio â rhieni newydd eraill, efallai y bydd siarad ag eraill sy'n gofalu am rywun â dementia yn eich helpu chi. Gall eich cangen leol o'r Alzheimer's Society eich cyfeirio at grwpiau gofalwyr lleol, ac mae ganddi hefyd linell gymorth y gallwch chi ei ffonio am wybodaeth neu ddim ond i siarad â rhywun os ydych chi'n cael diwrnod gwael: llinell gymorth dementia 0300 222 11 22. Gallai ymuno ag un o'r nifer o fforymau ar-lein i ofalwyr fod yn ddefnyddiol hefyd. Mae gan yr Alzheimer's Society ei fforwm ei hun ar www.alzheimers.org.uk/talkingpoint. Mae'n werth hefyd cysylltu â Carers Wales (gweler Cyfeiriadau defnyddiol).

Os yw'ch iechyd corfforol yn dioddef neu os ydych yn meddwl bod iselder arnoch, peidiwch ag anwybyddu hynny. Ewch i weld eich meddyg teulu cyn gynted â phosibl er mwyn i chi gael diagnosis a thrin y broblem. Nid oes dim yn hunanol mewn gofalu am eich iechyd corfforol a meddyliol eich hun – byddwch chi'n methu gofalu am neb os ydych chi'n sâl. Gallai hwn fod yn amser da hefyd i drefnu ychydig o ofal seibiant er mwyn i chi gael hoe, naill ai i roi cyfle i chi wella o'ch problemau iechyd chi neu i ddadflino fel na fyddwch chi'n mynd yn sâl.

Ymdopi tua'r diwedd

Yng nghyfnod diweddarach dementia, efallai y bydd eich perthynas yn dechrau ymddwyn yn fwy anarferol, fel y disgrifiwyd ym Mhennod 6. Dyma gyfnod heriol iawn i deulu a ffrindiau. Fel rwyf wedi'i ddweud droeon yn ystod y llyfr hwn, yr unig ffordd i drio ymdopi â'r fath ymddygiad yw cofio mai'r salwch, nid y person, sy'n gyfrifol amdano. Er enghraifft, mae'n gallu achosi gwewyr pan mae'ch perthynas yn methu'ch adnabod. Nid mater o anghofio enw yn unig yw hyn, ond rhywbeth sydd fel petai'n digwydd yn sgil difrod i rannau penodol o'r ymennydd sy'n rheoli adnabod. Mewn achosion eithafol, efallai y bydd eich perthynas yn credu bod twyllwr wedi dod i gymryd lle aelod o'r teulu. Gall hyn fod yn brofiad ofnadwy i'r un sy'n cael ei gyhuddo o fod yn dwyllwr ac i'ch perthynas. Weithiau, mae'r person yn methu adnabod ei gartref, gan gredu'n siŵr fod ganddo ddau dŷ a bod angen iddo fynd yn ôl i'r llall. Os yw hyn yn digwydd, trïwch fynd ag ef allan am dro, am daith yn y car neu ar fws, a dod yn ôl eto i'r un tŷ. Fel arfer, bydd hynny'n ddigon i'w fodloni ei fod wedi cyrraedd y tŷ iawn.

Mae'n gymharol gyffredin i bobl yn ystod cyfnod diweddarach dementia anghofio digwyddiadau pwysig yn eu bywydau, fel marwolaeth cymar neu riant. Mae hyn yn achosi penbleth i ofalwyr a pherthnasau eraill – a ddylen nhw ei gywiro ai peidio? Mae'n anodd gwybod beth i'w wneud yn y fath sefyllfa ond trïwch benderfynu sut i achosi cyn lleied o ofid â phosibl. Felly, er enghraifft, os bydd eich tad 98 oed yn cyfeirio at ei rieni fel pe baen nhw'n dal i fod yn fyw, efallai mai cyd-fynd ag ef fyddai orau. Os yw'n gofyn am eu gweld nhw, gallech drio dweud y bydd yn cael eu gweld nhw'n ddiweddarach. Ond os yw'n gofyn drosodd a thro am gael ymweld â nhw ac yn cymryd ato oherwydd ei fod yn methu gwneud hynny, efallai y bydd yn rhaid i chi ei atgoffa eu bod nhw wedi marw. Yn anffodus, os nad yw'n cofio eu bod wedi marw, efallai y bydd yn teimlo galar unwaith eto.

Mae cyfathrebu'n mynd yn fwy anodd wrth i'r dementia ddirywio. Efallai na fydd eich perthynas yn gallu siarad na dangos ei fod yn gwybod eich bod chi yno, ond drwy siarad yn dawel ag ef, anwesu ei law neu ddim ond plethu eich braich drwy ei fraich yntau, gallwch gynnig cysur a thawelwch meddwl. Efallai y bydd hynny hefyd yn gysur i chi.

Bu farw mam yng nghyfraith Jackie yn ddiweddar, ar ôl bod mewn gofal preswyl am bum mlynedd. Yn ystod misoedd olaf ei bywyd, roedd Nellie yn methu cyfathrebu yn y ffyrdd arferol, ond daeth Jackie o hyd i ffordd wahanol o gyfathrebu â'i mam yng nghyfraith ac felly mae ganddi atgofion digon melys o'r misoedd olaf hynny.

Ro'n i'n arfer ymweld â Nellie unwaith yr wythnos. Tua chwe mis cyn iddi farw, dechreuais i feddwl a oedd unrhyw bwrpas ymweld â hi. Doedd hi ddim yn gwybod pwy o'n i, ac weithiau doedd hi ddim fel petai'n ymwybodol fod neb yno o gwbl, ond ro'n i'n arfer eistedd gyda hi gan sôn am y teulu a hynt a helynt pawb. Un diwrnod, dyma fi'n taro gwydraid o ddŵr i'r llawr, ac yn rhegi heb feddwl. A dyma Nellie'n chwerthin. Ro'n i heb glywed na siw na miw ganddi ers wythnosau, felly roedd hyn yn rhywbeth hynod. Roedd un o'r gofalwyr yn yr ystafell ar y pryd, a dyma hi'n dweud, 'O, dwi'n gweld, Nellie. Mae'n rhaid i rywun ddweud gair drwg i'ch cael chi i chwerthin!' Dim ond bod yn serchog oedd hi ac aeth hi allan o'r stafell cyn gynted ag yr oedd hi wedi gorffen ei gwaith yno. Fe es i'n nes at Nellie a dweud y gair eto. A dyma hithau'n chwerthin eto. Dyma drio rheg arall, a dyma hi'n chwerthin eto! Erbyn diwedd yr ymweliad, roedd Nellie a minnau'n chwerthin fel dwy ferch ysgol. Roedd hyn yn ddoniol iawn i fi, oherwydd cyn iddi fynd yn dost, roedd hi mor sydêt.

Beth bynnag, hap a damwain oedd hynny, tybiais, ond y tro nesaf i fi ymweld â hi, dyma benderfynu rhoi cynnig arall arni. Ac yn wir, fe ddechreuodd hi chwerthin unwaith eto cyn gynted ag y byddwn i'n dweud gair drwg. A dyma ni'n parhau â'r arfer wrth i mi ymweld â hi bob wythnos. Fe fydden ni'n chwerthin a chwerthin a chwerthin. Dechreuais i fwynhau'r ymweliadau hynny. Doedd dim syniad gen i faint roedd Nellie yn ei ddeall, ond fe ddywedodd y gofalwyr ei bod hi bob amser ychydig yn dawelach ei meddwl ac yn haws ei thrin ar yr adegau hynny. Pan ddywedais wrth fy mrawd yng nghyfraith (mab Nellie), cafodd fraw. Dywedodd fod y cyfan yn difetha'i hurddas. Efallai fod hynny'n wir, ond y cyfan alla i ddweud yw ei bod hi fel petai'n mwynhau'r sesiynau bach hynny'n fawr iawn, ac fe wnaeth y gofalwyr hefyd ddweud gymaint roedd fy ymweliadau'n codi ei chalon. Ro'n i wedi bod yn ymweld â hi ar fy mhen fy hun ers dwy flynedd, fyth ers i fi golli fy ngŵr, a do'n nhw ddim wedi dweud unrhyw beth cyn hynny. Allwn i ddim gweld unrhyw ddrwg.

Fy nghyngor i i unrhyw un arall fyddai: gwnewch beth bynnag mae angen ei wneud i alluogi rhyw fath o gyfathrebu rhyngoch chi. Mae dementia gan ŵr cymdoges i fi, ac fe ddywedodd hi ei bod hi'n siarad rwtsh ag e'n gyson. Mae e'n ymateb mewn ffordd nad yw'n gwneud wrth sgwrsio fel arfer, felly beth yw'r broblem?

Problem arall sy'n wynebu'r rhai sy'n gofalu am rywun yng nghyfnod diweddarach dementia yw ymddygiad ymosodol. Os bydd eich perthynas yn dechrau ymddwyn felly, y peth pwysicaf yw sicrhau eich diogelwch chi eich hun. Mae'n bwysig cofio mai'r salwch sy'n gwneud iddo ymddwyn fel hyn, ond nid yw hynny'n golygu ei bod yn rhaid i chi oddef cael eich taro neu eich gwthio. Trïwch ragweld pryd mae'n debygol o droi'n ymosodol; nodwch unrhyw beth sy'n edrych fel petai'n sbarduno'r math hwnnw o ymddygiad ac ewch o'r sefyllfa nes iddo dawelu unwaith eto. Yn y pen draw, efallai y bydd angen cyffuriau i reoli'r ymddygiad.

Mae ymdopi â dementia pan fydd ar ei waethaf yn arbennig o anodd oherwydd mae bron fel petai'r un yr ydych chi'n gofalu amdano'n ddieithryn. O ystyried faint o waith a straen sy'n gysylltiedig â'r sefyllfa, mae'n ddigon anodd ymdopi pan fydd eich perthynas yn annwyl a thyner a chithau'n dal i allu ei adnabod fel yr un rydych chi wedi ei garu ers blynyddoedd lawer, o bosibl drwy gydol eich bywyd. Ond pan fydd hwnnw fel petai wedi troi'n ddieithryn annymunol a chyson elyniaethus tuag atoch, un sy'n benderfynol o wneud eich bywyd yn ddiflas, gall fod yn anodd peidio â throi eich cefn ar yr holl sefyllfa a dianc. Ac yna, fe fyddwch chi'n teimlo'n euog am feddwl y fath beth ...

Euogrwydd

Euogrwydd yw un o'r emosiynau mwyaf cyffredin mae gofalwyr yn ei deimlo. Gallech fod yn teimlo'n euog am nifer o resymau:

- Rydych chi'n teimlo'n ddig neu'n bigog tuag at eich perthynas am anghofio rhywbeth, ac yn gwybod nad ei fai ef yw hynny, felly rydych chi'n teimlo'n euog.
- Weithiau mae'n cofio pethau, a chithau'n dechrau meddwl mai ei fai ef yw'r cyfan, wedyn rydych chi'n teimlo'n euog am feddwl hynny.
- Rydych chi'n teimlo eich bod wedi eich gorfodi i ysgwyddo baich gofalwr ac yn teimlo'n euog am deimlo'n flin am hynny.
- Rydych chi'n hapus i ofalu am eich perthynas, ond yn teimlo'n euog am nad ydych chi'n gwneud mwy ac yn treulio mwy o amser yn ei gwmni. Mae gofalwyr eraill fel petaen nhw'n gwneud mwy o lawer.
- Rydych chi'n gwneud cymaint ag sy'n gorfforol bosibl ac yn treulio llawer o amser yn cadw cwmni iddo. Ond rydych chi'n teimlo fel petaech chi'n esgeuluso eich cymar ac felly'n teimlo'n euog am hynny.
- Rydych wedi gofalu am eich perthynas ers blynyddoedd, ac erbyn hyn mae ei ddementia mor ddrwg mae angen mwy o ofal arno nag yr ydych chi'n gallu'i roi. Rydych chi'n penderfynu holi am ofal preswyl, ac yn teimlo'n euog.
- Rydych chi wedi blino'n llwyr, ac mae'r ffliw arnoch oherwydd hyn. Mae eich gwres yn uchel ac rydych prin yn gallu codi eich pen oddi ar y gobennydd. Rydych chi'n sâl iawn. Ac eto, rydych chi'n dal i deimlo'n euog ...

Hynny yw, nid oes modd cyfiawnhau'r euogrwydd mae gofalwyr yn ei deimlo fel arfer: emosiwn arall sy'n eich llethu'n fwy fyth yw hwn. Un o'r ffyrdd gorau o fynd i'r afael ag emosiynau negyddol fel euogrwydd, rhwystredigaeth a dicter yw sôn am eich teimladau, p'un ai wrth ffrind neu berthynas, gweithiwr proffesiynol, cynghorwr neu rywun arall sy'n deall eich sefyllfa. Mae'n rhaid i chi gydnabod eich teimladau yn hytrach na'u cadw i chi'ch hun. Trïwch feddwl pam rydych chi'n teimlo'n euog a byddwch yn ymwybodol o effaith y teimladau hynny arnoch chi. Er enghraifft, ydych chi'n eich gwthio'ch hun yn rhy galed i wneud iawn am y pethau rydych chi'n teimlo'n euog amdanyn nhw?

Gall yr Alzheimer's Society gynnig cefnogaeth emosiynol yn ogystal ag ymarferol i'r rhai sy'n gofalu am bobl â chlefyd Alzheimer a mathau eraill o ddementia. Gall roi manylion cyswllt grwpiau gofalwyr yn eich ardal chi ac mae'n rhedeg fforwm ar-lein hefyd os yw hi'n well gennych gysylltiad dienw. Mae'r fforwm ar www.alzheimers.org.uk/talkingpoint.

Mae llawer o gefnogaeth ar gael, ond mae'n rhaid i chi ofyn amdani. Er ein bod yn tueddu i osgoi labeli, mae meddwl amdanoch chi eich hun fel 'gofalwr' yn hytrach na phwy ydych chi mewn gwirionedd (gwraig, gŵr, cymar, merch, mab, brawd, chwaer, ffrind) yn gallu eich helpu i chwilio am y gefnogaeth sydd ei hangen arnoch. Mae nifer o sefydliadau'n bod sy'n gallu helpu, yn enwedig yr Alzheimer's Society a Carers Wales (gweler Cyfeiriadau defnyddiol). Mae llyfrau defnyddiol ynglŷn â'r pwnc ar gael (gweler Darllen pellach), yn enwedig felly *The 36-Hour Day: A Family Guide to Caring for People who have Alzheimer's Disease, Related Dementias and Memory Loss*. Mae rhan gyntaf y teitl yn dweud y cyfan, mewn gwirionedd.

I ymdopi'n llwyddiannus â gofalu, mae'n rhaid i chi ofalu amdanoch chi eich hun. Cymerwch seibiant cyson oddi wrth yr un rydych chi'n gofalu amdano a pheidiwch â theimlo'n euog am hynny. Gwnewch amser i chi eich hun: amser i ymlacio, amser i feddwl, amser i gymdeithasu gyda ffrindiau a theulu, amser i ddilyn eich diddordebau. Gall gofalu amdanoch chi eich hun eich helpu i ymdopi'n well fel gofalwr, ac i fwynhau perthynas well â'r un sydd â dementia ac ag aelodau eraill o'r teulu a'ch ffrindiau. Mae'r rhan fwyaf o ofalwyr yn cytuno, er gwaetha'r oriau hir a chaled, yr heriau a'r dagrau, y gall gofalu am rywun ddod â llawer o foddhad a llawer o hwyl a chwerthin. Gofalwch eich bod yn ddigon cryf i ddygymod â'r cyfnodau anodd ac yn ddigon iach i fwynhau'r amserau da!

Diwedd y daith

Pan fydd eich perthynas yng nghyfnod terfynol dementia, efallai na fydd yn gallu eich adnabod na chyfathrebu â chi. Mewn sawl ffordd, bydd fel petai wedi eich gadael eisoes, ond rydych chi'n methu galaru'n iawn oherwydd mae'n dal i fod yn fyw. Pan na fydd yn gallu cyfathrebu ar lafar nac yn weledol, fe allai eistedd gydag ef, yn dal ei law neu yn ei hanwesu, fod yn gysur i'r ddau ohonoch. Cofiwch gydnabod eich bod wedi gwneud popeth posibl a byddwch yn barod i wynebu'r teimladau anodd a fydd yn dilyn ei farwolaeth.

Mae rhai pobl yn gweld eu bod wedi galaru cymaint yn ystod salwch eu perthynas fel nad ydyn nhw'n profi unrhyw deimladau cryf ar ôl iddo farw. Mae hyn yn gyffredin iawn ac yn hollol ddealladwy, felly peidiwch â phoeni os nad ydych yn ymateb – rydych chi wedi ymateb. Mae eraill yn profi amrywiaeth o emosiynau yn ystod y cyfnod ar ôl marwolaeth y person, yn cynnwys:

- anghrediniaeth, gwadu;
- dicter a chwerwedd;
- rhyddhad, o'u safbwynt nhw, ac o safbwynt y perthynas;
- euogrwydd;
- tristwch a phoen;
- sioc – hyd yn oed os oedd y farwolaeth i'w disgwyl ers cryn amser.

Yn ogystal â'r emosiynau hyn, fe all rhywun sydd wedi bod yn ofalwr llawn-amser (neu bron yn llawn-amser) deimlo diffyg pwrpas a gwacter ar ôl i'w berthynas farw. Hyd yn oed os nad ydych chi wedi bod yn ofalwr llawn-amser, neu os yw'r person wedi bod mewn gofal preswyl, fe allech chi ddal i deimlo gwacter yn eich bywyd. Gall gymryd cryn amser i ddod i delerau â marwolaeth rhywun, a bydd angen cefnogaeth eich teulu a'ch ffrindiau arnoch yn ystod y cyfnod anodd yma. Gall siarad ag Alzheimer's Society Cymru, Carers Wales neu Dementia UK (Nyrsys Admiral) fod o gymorth i chi, neu trowch at wasanaeth cefnogi mewn profedigaeth, fel Cruse Bereavement Care (gweler Cyfeiriadau defnyddiol).

Rhowch amser i chi eich hun ddod dros eich galar. Derbyniwch y gallech chi deimlo'n flinedig ac ychydig yn ddryslyd am ychydig. Efallai y byddwch chi'n teimlo'n well am ychydig ddyddiau ond wedyn yn teimlo'n hynod o drist ar unwaith yn fuan wedyn. Yn aml, mae'r rhai sydd wedi wynebu profedigaeth yn teimlo bod y flwyddyn gyntaf yn anodd iawn – y pen-blwydd cyntaf, Nadolig, pen-blwydd priodas. Bydd angen rhagor o gefnogaeth arnoch chi bryd hynny.

Ymhen amser, fe ddowch chi yn ôl ar eich traed; fe ddowch chi i allu siarad am eich perthynas unwaith eto ac i hel atgofion a'u rhannu gyda ffrindiau a theulu. Ac os rhoesoch chi amser i ofalu am hwnnw, hyd yn oed os mai dim ond ychydig oriau'r wythnos yr oedd hynny, neu fel rhan o dîm mawr o ofalwyr, cofiwch y byddwch chi wedi gwneud llawer iawn i wneud ei fywyd yn fwy cyfforddus a diogel yn ystod y blynyddoedd olaf hynny.

Atodiad
Pobl y gallech ddod ar eu traws

Rydych chi'n debygol o ddod i gysylltiad â nifer o weithwyr iechyd proffesiynol sydd â sawl rôl wahanol mewn gofalu am rywun â dementia a'i drin. Bydd llawer o'r rhain yn gweithio gyda'i gilydd, fel rhan o 'dîm gofal iechyd'. Gall y rhain gynnwys:

- Eich meddyg teulu – mae'n gofalu am faterion iechyd cyffredinol a dyma'r man cyswllt cyntaf. Gall y meddyg teulu gyfeirio pobl at weithwyr proffesiynol gofal iechyd eraill, fel ymgynghorwyr.
- Ymgynghorwyr – meddygon sydd wedi'u hyfforddi'n helaeth ac sydd â chymwysterau a phrofiad mewn maes arbennig. Gall rhywun â dementia ddod ar draws ymgynghorydd niwrolegol, sy'n arbenigo mewn anhwylderau ar yr ymennydd a'r system nerfol; geriatregydd, sy'n arbenigo yn iechyd corfforol pobl hŷn; seiciatrydd, sydd wedi cael rhagor o hyfforddiant mewn problemau iechyd meddwl pobl hŷn; neu seiciatrydd henaint, sydd wedi cael rhagor o hyfforddiant i ofalu am broblemau iechyd meddwl pobl hŷn.
- Nyrs ardal neu gymunedol – un sydd wedi cael hyfforddiant ychwanegol i nyrsio pobl yn eu cartrefi.
- Nyrs iechyd meddwl gymunedol neu nyrs seiciatrig gymunedol (CPN) – sy'n rhoi triniaeth, gofal a chymorth i bobl â phroblemau iechyd meddwl a dementia. Gall CPN asesu pobl â dementia a'u cynghori nhw a'u gofalwyr ar ffyrdd o ymdopi a gwella ansawdd eu bywyd. Bydd eich meddyg teulu neu'ch ymgynghorydd yn eich cyfeirio at CPN.
- Gweithwyr cymdeithasol (neu 'reolwyr gofal') – mae'r rhain yn asesu anghenion y person o ran gofal a gwasanaethau ac yn ymwneud â chynllunio a chydlynu darparu'r gwasanaethau hynny. Gallan nhw hefyd gynnig cefnogaeth i bobl â dementia a'u gofalwyr.
- Gweithwyr gofal – yn gweithio gyda'r person gartref neu mewn cartref gofal preswyl. Fel arfer maen nhw'n helpu gyda gofal personol: helpu i ymolchi a gwisgo, er enghraifft, newid dillad gwely a golchi dillad, helpu adeg prydau bwyd a'i roi yn ei wely.

- Ymgynghorwyr hunanreolaeth (*continence*) – yn cynnig cyngor ynglŷn â gwlychu a baeddu, gan gynnwys gwybodaeth am adnoddau fel padiau, dillad gwely gwrth-ddŵr a chomodau. Gofynnwch i'ch meddyg teulu eich cyfeirio.

- Seicolegwyr clinigol – yn gweithio'n aml gydag ymgynghorwyr mewn clinigau cof. Maen nhw'n asesu'r cof, y gallu i ddysgu a sgiliau eraill ac yn gallu cynnig cymorth.

- Therapyddion galwedigaethol (OT: *Occupational Therapists*) – yn gallu rhoi cyngor ar offer arbennig ac addasiadau i'r cartref. Mae'r rhain yn gallu gwneud pethau'n haws i bobl â dementia a'u helpu i aros yn annibynnol yn hirach. Os ydych chi'n credu y gallai OT fod yn ddefnyddiol, holwch eich meddyg teulu, eich ymgynghorydd neu'ch gweithiwr cymdeithasol.

- Ffisiotherapydd – yn gallu cynnig cyngor ynglŷn â chynnal symudedd wrth i'r dementia waethygu. Gall sesiynau ddigwydd yn yr ysbyty, mewn clinig cymunedol neu yng nghartref y person. Gall eich meddyg teulu neu eich ymgynghorydd eich cyfeirio.

- Therapydd iaith a lleferydd – yn gallu helpu pobl â dementia a'u gofalwyr i gyfathrebu'n fwy effeithiol. Hefyd yn gallu helpu gydag anawsterau bwyta a llyncu. Gofynnwch i'ch meddyg teulu eich cyfeirio.

- Nyrsys Admiral – nyrsys sy'n arbenigo mewn dementia ac sy'n cael eu cefnogi gan yr elusen Dementia UK (gweler Cyfeiriadau defnyddiol). Maen nhw'n rhoi cymorth ymarferol, emosiynol a phersonol i bobl â dementia, eu teuluoedd a'u gofalwyr, gan gynnwys gofalwyr proffesiynol. Mae'r gefnogaeth yn para tra bo'i hangen, o'r cysylltiad cyntaf tan y cyfnod ar ôl profedigaeth. Nid yw'r gwasanaeth yma ar gael drwy'r wlad ar hyn o bryd, ond mae'n ehangu'n gyflym. Os yw'r gwasanaeth heb gyrraedd eich ardal chi eto, efallai y gallai llinell gymorth Admiral Nursing DIRECT fod yn ddefnyddiol: 0845 257 9406. Mae'r llinell ar agor o 9 o'r gloch y bore tan 9 o'r gloch y nos o ddydd Llun tan ddydd Gwener, ac o 9 tan 5 ar ddydd Sadwrn a dydd Sul. Gallwch adael neges y tu allan i'r oriau hyn ac fe fydd nyrs Admiral yn cysylltu â chi.

Cyfeiriadau defnyddiol

Admiral Nursing DIRECT
Llinell gymorth: 0845 257 9406 (9.15 a.m.–4.45 p.m., dydd Llun–dydd
Gwener; 6 p.m. – 9 p.m., dydd Sadwrn a dydd Sul)

Age Cymru
Llawr Gwaelod
Mariners House
Llys Trident
Ffordd East Moors
Caerdydd CF24 5PJ
Ffôn: 029 2043 1555
Llinell gymorth (Rhadffôn): 08000 223 444
Gwefan: www.ageuk.org.uk/cymru

Mae pedwar Age Concern gwledydd y DU wedi ymuno â Help the Aged.
Am fanylion canghennau lleol, ewch i'r wefan neu ffoniwch y brif
swyddfa.

Age UK
Tavis House
1–6 Tavistock Square
London WC1H 9NA
Ffôn: 020 8765 7200
Cyngor: 0800 169 2081
Gwefan: www.ageuk.org.uk

Age NI
3 Lower Crescent
Belfast BT7 1NR
Ffôn: 028 9024 5729
Cyngor (Rhadffôn): 0808 808 7575
Gwefan: www.ageuk.org.uk/northern-ireland

Age Scotland
Causewayside House
160 Causewayside
Edinburgh EH9 1PR
Ffôn: 0333 32 32 400
Silver Line Scotland: 0800 4 70 80 90 (am wybodaeth, cyngor a
chyfeillgarwch)
Gwefan: www.ageuk.org.uk/scotland

Alzheimer Scotland
22 Drumsheugh Gardens
Edinburgh EH3 7RN
Ffôn: 0131 243 1453
Rhadffôn 24 awr llinell gymorth dementia: 0808 808 3000
Gwefan: www.alzscot.org

Alzheimer's Society (Cymru)
16 Rhodfa Columbus
Glanfa'r Iwerydd
Caerdydd
CF10 4BY
Ffôn: 02920 480593
Llinell gymorth dementia: 0300 222 11 22

Alzheimer's Society
43–44 Crutched Friars
London EC3N 2AE.
Ffôn (Gwasanaeth Cwsmer): 0330 333 0804
Gwefan: www.alzheimers.org.uk

Am wybodaeth ynglŷn â changhennau lleol, edrychwch ar y wefan neu ffoniwch y brif swyddfa.

Bladder and Bowel Foundation
SATRA Innovation Park
Rockingham Road
Kettering NN16 9JH
Ffôn (ymholiadau cyffredinol): 01926 357220
Gwasanaeth danfon nwyddau i'r cartref: 0800 031 5406
Gwefan: www.bladderandbowelfoundation.org

British Association for Counselling and Psychotherapy
BACP House
15 St John's Business Park
Lutterworth LE17 4HB
Ffôn: 01455 883300
Gwefan: www.bacp.co.uk

British Medical Acupuncture Society
BMAS House
3 Winnington Court
Northwich
Cheshire CW8 1AQ
Ffôn: 01606 786782
Gwefan: www.medical-acupuncture.co.uk

Mae swyddfa yn Llundain hefyd (ewch i'r wefan am fanylion cyswllt).

Care Quality Commission
CQC National Customer Service Centre
Citygate
Gallowgate
Newcastle upon Tyne NE1 4PA
Ffôn: 03000 616161
Gwefan: www.cqc.org.uk

Ar y wefan hon gallwch weld adroddiadau archwiliadau i gartrefi gofal preswyl.

Carers Northern Ireland
58 Howard Street
Belfast BT1 6PJ
Ffôn: 028 9043 9843
Gwefan: www.carersuk.org/northernireland

Carers Scotland
The Cottage
21 Pearce Street
Glasgow G51 3UT
Ffôn: 0141 445 3070
Gwefan: www.carersuk.org/scotland

Carers UK
20 Great Dover Street
London SE1 4LX
Ffôn: 020 7378 4999
Llinell Gyngor Carers UK: 0808 808 7777 (10 a.m.–4 p.m., dydd Llun a dydd Mawrth)
Gwefan: www.carersuk.org

Carers Wales
Uned 5
Ynys Bridge Court
Caerdydd CF15 9SS
Ffôn: 029 2081 1370
Gwefan: www.carersuk.org/wales

Carers Trust
Y Trydydd Llawr
33–35 Heol y Gadeirlan
Caerdydd CF11 9HB
Ffôn: 0292 009 0087
Gwefan: https://carers.org/country/carers-trust-wales-cymru

Elusen sy'n cynnig cymorth i ofalwyr.

Cruse Bereavement Care
PO Box 800
Richmond
Surrey TW9 1RG
Llinell gymorth genedlaethol: 0808 808 1677
Gwefan: www.cruse.org.uk

Dementia Advocacy and Support Network International
Gwefan: www.dasninternational.org

Dementia UK
Second Floor
Resource for London
365 Holloway Road
London N7 6PA
Ffôn: 020 7697 4160
Llinell gyngor: 0800 888 6678
Gwefan: www.dementiauk.org

Yn cefnogi nyrsys Admiral; gweler hefyd Admiral Nursing DIRECT.

Independent Age
18 Avonmore Road
London W14 8RR
Ffôn: 020 7605 4200
Llinell gyngor: 0800 319 6789
Gwefan: www.independentage.org

Yn cynnig cymorth a chyngor i bobl hŷn, eu teuluoedd a'u gofalwyr.

MIND Cymru (yr elusen iechyd meddwl)
3ydd Llawr
Castlebridge 4
Castlebridge
5–9 Heol Ddwyreiniol y Bont-faen
Caerdydd CF11 9AB.
Ffôn: 029 2039 5123
Llinell gyngor: 0300 123 3393
Gwefan: www.mind.org.uk/about-us/mind-cymru

Ombwdsmon Gwasanaethau Cyhoeddus Cymru
1 Ffordd yr Hen Gae
Pencoed CF35 5LJ
Llinell gyngor: 0300 790 0203
Gwefan: www.ombwdsmon.cymru

Relatives and Residents Association
1 The Ivories
6–18 Northampton Street
London N1 2HY
Ffôn: 020 7359 8148
Llinell gymorth: 020 7359 8136
Gwefan: www.relres.org

Yn cynghori perthnasau a ffrindiau agos pobl mewn
cartrefi gofal ar amrywiol bynciau.

Relate
Premier House
Carolina Court
Lakeside
Doncaster DN4 5RA
Ffôn: 0300 100 0234
Gwefan: www.relate.org.uk

Yn cynnig gwasanaeth ymgynghori a chymorth.
Ffoniwch neu ewch i'r wefan am fanylion canghennau lleol.

Y Samariaid
Llawr 2
33–35 Heol y Gadeirlan
Caerdydd CF11 9HB.
Ffôn: 116 123; 0808 164 0123 (llinell Gymraeg)
Gwefan: www.samaritans.org

Darllen pellach

Andrews, June, *10 Helpful Hints for Carers: Practical Solutions for Carers Living with People with Dementia*, University of Stirling Dementia Services Development Centre, 2009

Bailey, Alex, *Alzheimer's: Answers at Your Fingertips*, Class Health, 2014

Bayley, John, *Iris: A Memoir of Iris Murdoch*, Abacus, 2002

Brotchie, Jane, *Caring for Someone with Dementia*, Age Concern, 2003

Bryden, Christine, *Dancing with Dementia*, Jessica Kingsley, 2005

Buijssen, Huub, *The Simplicity of Dementia: A Guide for Family and Carers*, Jessica Kingsley, 2005

Burns, Yr Athro Alistair, *Your Guide to Alzheimer's Disease*, The Alzheimer's Society, 2005

Coope, Bernard a Richards, Felicity, gol., *ABC of Dementia*, John Wiley, 2014

Department of Health, *Living Well with Dementia: A National Dementia Strategy*, DH, 2009; hefyd ar gael ar www.dh.gov.uk.

Genova, Lisa, *Still Alice*, Simon & Schuster, 2015

Goudge, Mary, *Choosing a Care Home*, How To Books, 2004

Graham, Nori a Warner, James, *Understanding Alzheimer's Disease and Other Dementias*, Family Doctor, 2009

Hamilton, Ian Stuart, *Introduction to the Psychology of Ageing for Non-specialists*, Jessica Kingsley, 2014

Hann, Lizi, *The Milk's in the Oven: A Booklet about Dementia for Children and Young People*, Mental Health Foundation, 2005

James, Oliver, *Contented Dementia: 24-hour Wraparound Care for Lifelong Well-being*, Vermillion, 2008

Killick, John, *Dementia Positive*, Luath Press, 2014

Kuhn, Daniel, *Alzheimer's Early Stages: First Steps for Family, Friends and Caregivers* (ail argraffiad), Hunter House, 2007

McCall, Bridget, *The Complete Carers' Guide*, Sheldon Press, 2007

McCarthy, Bernie, *Hearing the Person with Dementia: Person-centred Approaches to Communication for Families and Caregivers*, Jessica Kingsley, 2011

Mace, Nancy a Rabins, Peter, *The 36-Hour Day: A Family Guide to Caring for People who have Alzheimer's Disease, Related Dementias and Memory Loss* (5ed argraffiad), Grand Central Publishing, 2012

Pulsford, Dave a Thompson, Rachel, *Dementia: Support for Family and Friends*, Jessica Kingsley, 2012

Slevin, Martin, *The Little Girl in the Radiator: Mum, Alzheimer's and Me*, Monday Books, 2012

Smith, Dr Tom, *Living with Alzheimer's Disease*, Sheldon Press, 2005

Stokes, Graham, *And Still the Music Plays: Stories of People with Dementia*, Hawker, 2010

Tugendhat, Julia, *Living with Grief and Loss*, Sheldon Press, 2005

Mynegai

12.7.19